연애의 전략 [개정판]

발 행 | 2024년 05월 09일
저 자 | 연애컨설턴트 핫치
저자 이메일 | kgkg147@naver.com
펴낸이 | 한건희
펴낸곳 | 주식회사 부크크
출판사등록 | 2014.07.15.(제2014-16호)
주 소 | 서울특별시 금천구 가산디지털1로 119 SK트윈타워 A동 305호
전 화 | 1670-8316
이메일 | info@bookk.co.kr

ISBN | 979-11-410-8457-8
www.bookk.co.kr

연애의 전략

연애컨설턴트 핫치 지음
[개정판]

목   차

3. 외모와 스타일에 대해
- 피부관리
- 헤어스타일
- 패션스타일
- 표정
- 운동

4. 연애를 잘하는 방법
- 전략을 짜자
- 여유를 갖자
- 공감을 하자
- 대화를 잘하는 방법
- 나쁜남자? 착한남자?
- 자기 객관화를 하자
- 흥미로운 사람이 되자

5. 이성을 만날 수 있는 경로

- 학교, 직장

- 아르바이트

- 학원, 강습

- 지인소개, 미팅

- 도서관, 헬스장

- 소개팅 어플

- 모임

- 길거리, 술집

6. 몇 가지 사례들

7. 에필로그

프롤로그 -
연애고자에서 1위 연애컨설턴트가 되기까지

  건강한 사람이라면 누구나 연애를 하고 싶어 한다. 하지만 모두가 자신이 원하는 연애를 하지는 못할 것이다. 나 또한 그러했는데, 20대 초반까지의 나는 이성에게 있어 매력이 없는 남자로 통했다. 그렇다 보니 이성을 만나는 것 자체도 정말 어려웠지만 어쩌다 연애를 시작하게 되더라도 짧게는 일주일에서 길어봐야 한 달 만에 차이곤 했는데 매번 내가 질린다거나 자신과는 맞지 않는 것 같다는 이유가 대부분이었다. 처음 한두 번은 정말 상대방과 성격이 잘 맞지 않았었다고 스스로를 위로했지만 비슷한 상황이 두 번 세 번 반복되면서 점점 나 자신에게 문제가 있을 수도 있겠다는 생각을 하게 되었다. 무엇보다 매번 차이게 되는 입장이라는 점이 굉장히 큰 자극이 되었는데 나에게 문제가 있다면 어떻게든 해결해서 더 나은 연애를 즐기고 싶었다. 그 이후로 나는 당시 할 수 있는 모든 수단과 방법을 동원해 연애를 '공부'하기 시작했다.

처음 시작은 누구나 쉽게 접할 수 있는 책을 읽어보기도 하고, 당시엔 지금처럼 유튜브가 대중화되어 있지 않아 더 대중화되어 있던 네이버 지식인에서 연애를 잘하는 방법이 무엇이냐며 질문을 하기도 해보았다. 하지만 연애와 관련된 책을 읽어 본 사람이라면 누구나 공감하듯 나에게 있어 연애 교재는 도움이 되는 부분도 있긴 하지만 대부분의 내용은 조금 과격하게 표현해 쓰레기나 다름없었다. 상상 속에서나 먹힐 법한 멘트, 현실과는 굉장히 먼 상황 대처법, '전교 1등을 하기 위해서는 공부를 열심히 하면 된다'라는 주먹구구식의 구체적인 해결책도, 행동지침도 없는 실용성이 없는 교재가 대부분이었다. 아무리 실용성이 없는 교재라도 조금이나마 도움이 되는 부분이 있다면 여러 권의 교재를 읽으며 필요한 부분만 모아볼 수도 있었겠지만 마음이 급한 나에겐 정말 비효율적이고 도움이 되지 않는 방법이었다. 그런데 애석하게도 지식인 또한 연애 교재와 별반 다를 것이 없었다. 지식인에 진심을 담아 도움을 요청하는 글을 올려도 대부분이 누구나 할 수 있는 똑같은 말을 해주거나 전혀 도움이 되지 않는 답변을 해주기 일쑤였다. 이 두 가지 방법들이 큰 도움이 되지 않아 주변 지인들에게 도움을 청하려 했지만 지인들도 나와 별반 다르지 않은 상황이었다 보니, 더 나아지기 위해 연애에 도움이 되는 책을 읽고 노력하면 영화나 드라마처럼 정말 큰 변화를 할 수 있을 것이라고 기대했던 나에게 이런 상황은 정말 막막할 수밖에 없는 상황이었다. 만약 나의 주변에 스스로를 꾸밀 줄 알고, 이성을 대하는 것이 능숙해 연애를 잘하는 지인이 있었다면 정말 쉽게 이 모든 고민들을 해결할 수 있었을 것이다. 하지만 내 주변에는 그런 지인이 없었고, 결국 정말 막막해도 나 혼자서 이 문제를 해결해야 하는 상황이었다.

포기하면 마음이 편해질 수는 있었겠지만 그러고 싶지 않았던 나는 당시 SNS에서 쉽게 볼 수 있었던 연애와 관련된 짧은 조언 글들을 찾아보며 하나씩 하나씩 직접 시도해 보기 시작했다. 이성을 동성친구라고 생각하고 편하게 대하라, 나쁜 남자가 매력적이니 나쁜 남자가 되어라, 재미있게 말하려 하지 말고 생각나는 대로 솔직하게 말하라 등등 이성이 어려웠던 나에겐 하나하나가 직접 시도해 보기에 쉬운 것들은 아니었지만 이전과 같은 삶을 살고 싶지 않았던 나는 스스로 마인드 컨트롤을 하며 조언 글과 똑같이 행동해보고자 했다. 따지고 보면 모두 맞는 말이긴 했지만 아무래도 조언 글 자체가 짧고 막연하다 보니 변수가 많은 현실에서는 정말 실용적이라거나 큰 도움이 되었다고 말하긴 어려웠다. 하지만 이런 시도들은 곧 나에게 좋은 경험이 되었고, 나에게 필요한 것이 무엇인지 깨달을 수 있는 계기가 되었다. 만약 내가 연애와 관련 된 짧은 조언 글들을 읽어 보기만 하고 직접 시도해 보지 않았다면 결과는 다른 연애 교재를 읽었을 때와 크게 다르지 않았을 것이다. 결국 나에게 필요한 것은 연애를 '공부'하는 것이 아니라 연애와 관련된 '경험'이 필요한 것이었다.

그때부터 나는 이성을 만나고 경험할 수 있는 기회라면 절대로 마다하지 않았다. 이성을 만나기 위해 신앙심이 전혀 없었던 내가 교회를 다녀 보기도 하고, 봉사활동을 가보기도 하고, 동아리에 가입한다거나 평소 친하지 않았던 지인에게 이성을 소개해달라고 부탁하기도 했었다. 영화나 드라마처럼 이성과 자연스럽게 만나게 되는 것을 기대하며 기다려 볼 수도 있었겠지만 더 많은 경험을 쌓을 수 있는 기회를 만들기 위해 직접 찾아다닌 것이었다. 이런 기회들을 찾아다니다 보니 한 번 두 번씩 드물게라도 이성을 만날 수 있는 기회들이 생겼고, 그때마다 나는 연애로 발전하기 위해 어떻게든 노력하는 것이 아니라 경험을 쌓기에 정말 좋은 기회라고 생각하며 차여도 좋으니 새로운 시도들을 해보고자 했다. 가령 이런 상황에서 이런 말을 하면 어떤 대답이 돌아올까? 상대방에게 이런 행동을 하면 어떤 반응을 할까? 부터 시작해서 어떨 땐 무작정 착한 남자가 되어보기도 하고 어떨 땐 하고 싶은 말을 과격하게 막말을 하듯 뱉어보기도 하고, 어떨 땐 과묵한 남자가 되어보기도 했다. 이렇게 이성과 나 자신에 대한 다양한 경험을 쌓으면서 어떤 것이 나에게 가장 잘 어울리며, 상황에 따라 어떤 말과 행동을 하는 것이 좋을지 실용성이 있는 경험을 쌓기 시작했다. 물론, 정말 오랜 시간이 걸렸고 그 과정 속에서 많은 시행 착오를 겪으며 좋은 경험뿐만 아니라 좋지 않은 경험도 적지 않게 했지만, 그 조차도 나에게 있어서는 하지 않아야 할 행동이 무엇인지 알 수 있는 좋은 경험이 될 수 있었다. 무엇보다도 새로운 경험을 쌓기 위해 차여도 좋으니 새로운 시도들을 하자는 마인드가 시간이 지나면서 이성을 만날 때 꼭 이 사람이 아니어도 언제든 새로운 사람을 만나면 된다는 생각으로 바뀌게 되었는데 이런 마음가짐을 갖게 되니 이성을 대하는데도 점점 여유가 생기기 시작했다. 언제든 새로운 사람을 만나면 된다는 생각은 그 관계에 집착하지 않도록 만들어 줬고, 마음의 여유가 있으니 더욱 내가 원하는 대로 상대를 대할 수 있게 된 것이다. 정말 많은 시행착오를 겪고, 오랜 시간이 걸렸지만 이러한 과정이 반복되면서 쌓인 경험들은 자신감의 근원이 될 수 있었던 것이다. 경험에서 오는 자신감은 이성을 언제든 쉽게 만날 수 있게 만들어 주었다. 그렇게 시간이 지나 연애 고자였던 나는 그토록 원하던, 연애가 어렵기는커녕 언제든 원한다면 연애를 할 수 있는 사람으로 성장할 수 있었던 것이다. 만약, 한창 연애를 고민하고 있을 때 앞서 말한 것처럼 나를 도와주고 방향성을 제대로 잡아줄 수 있는 지인이 한 명이라도 있었다면 좋지 않은 경험들을 하지 않을 수 있었고, 더 빨리 경험을 쌓아 좋은 결과를 볼 수 있었을 것이다. 하지만 나의 주변엔 나를 도와줄 수 있는 지인은 없었고, 어쩔 수 없이 혼자서 오랜 시간을 들여 변화를 가져야만 했던 것이다.

연애 경험이 쌓이고부터는 주변 사람들이 연애를 어려워하는 모습을 보게 되면 돕고 싶다는 생각을 하기 시작했다. 한때 내가 겪었던 일이니 공감이 되기도 했지만 연애를 어려워하는 사람들을 도와주고 점점 더 나아지는 모습을 봤을 때 성취감이 느껴지기도 했기 때문이다. 나의 연애 경험과 주변 사람들을 컨설팅해 주며 쌓았던 경험들은 자연스레 연애컨설턴트라는 직업까지 이어져오게 했고, 그렇게 취미로 시작했던 일은 본업이 된 것이다. 사실, 많은 사람들이 연애컨설턴트라고 하면 내용은 전혀 없는 겉만 그럴싸한 연애 교재를 판매하고 상담과 코칭을 받아도 실질적으로 도움이 되는 것은 전혀 없는, 돈에 눈이 먼 픽업아티스트들과 같은 존재로 인식하곤 한다. 나 또한 연애를 '공부'하던 때에 픽업아티스트들의 교재를 굉장히 많이 읽어봤고 픽업아티스트와 연애 교재에 대한 부정적인 인식을 가지고 있기 때문에 그들과는 완전히 다르다는 것을 강조하고 싶다.

내가 이 책에서 독자들에게 알려 주고자 하는 것은 픽업아티스트들처럼 단순히 이성을 꼬시거나 가벼운 육체적 만남을 할 수 있도록 하는 것이 아니다. 특정 상황에서 어떤 말을 해야 할지 필살기 같은 멘트를 알려주는 것 또한 아니다. 나는 상담을 진행하거나 컨설팅을 할 때도 가벼운 만남이나 '원나잇'이 아닌 제대로 마음을 주고받고, 제대로 연애를 할 수 있는 방법을 알려주고자 노력한다. 때문에 만약 이성과 가벼운 만남을 위한 필살기 같은 멘트를 기대했거나 가벼운 육체적 만남만을 추구한다면 이 책과는 맞지 않을 것이다. 마찬가지로 이미 연애를 해본 경험이 적지 않게 있고 주변 지인들에게 연애에 대한 조언을 해줄 정도의 연애 경험이 있다면 이 책과는 맞지 않을 것이다.

이 책은 연애를 아예 해본 경험이 없거나, 연애 경험이 있어도 정말 적어 어려움이 있거나, 연애를 할 때마다 매번 원하는 방향으로 흘러가지 않아 답답한, 누군가의 도움이 필요한 연애고자들의 눈높이에 맞추어져 있다. 때문에 연애를 하기 위해 어떤 가치관을 가지고 있어야 하며, 지금까지는 어떤 이유에서 연애를 못해왔는지처럼 아주 원초적인 것부터 시작해 어떤 것을 준비해야 하며, 어떻게 해야 연애를 잘 할 수 있는지 같은 부분까지 이야기해보면서 궁극적으로는 누군가의 도움 없이도 혼자서 언제든 이성을 만나고 연애를 할 수 있는 것을 목표로 할 것이다.

나 또한 과거 매력이 없는 남자로 통했기 때문에 제대로 된 경험을 쌓기 전까지는 연애를 하면서 좋은 기억과 경험보다는 어려움과 상처가 더 많았다. 어쩌면 지금 이 책을 읽고 있는 당신도 내가 그랬던 것처럼 연애가 어렵고 변화가 절실하지만 도저히 방법을 모르겠거나, 주변 사람에게 도움을 청할 수조차 없는 상황 속에서 막막함을 느끼고 있을 수도 있을 것이다. 같은 경험을 해본 경험자로서 그 막막함이 어떤 심정인지 그 누구보다 잘 알고 있기 때문에 표현은 다소 직설적일 수 있지만 지금 이 책을 읽고 있는 당신이 내가 이 책을 통해 알려주고자 하는 것을 제대로 이해하고, 따를 수만 있다면 나처럼 많은 시행착오를 겪지 않고도 정확한 방향성을 잡고 이전과는 다른 모습으로 변하고 성장할 수 있도록 도와줄 것이다. 그러니 잘 따라와 주길 바란다.

1. 당신이 연애를 못하는 이유

 연애를 어려워하는 사람들에게 있어서 연애가 어려운 이유는 정말 다양하다. 어떤 사람은 이성을 만날 기회조차 없어 고민하는 경우도 있고, 어떤 사람은 기회는 있지만 매번 거절을 당하거나 이성에게 어떻게 다가가야 할지, 어떻게 어필해야 할지 고민인 경우도 있을 것이며, 어느정도 가까워 지더라도 관계를 어떻게 이끌어가야 할지가 고민인 경우도 있을 것이다. 이번 1장에서는 연애를 어려워하는 사람들이 연애를 어려워하는 원인 중 가장 빈번한 원인 몇가지를 짚어보며 왜 많은 사람들이 연애를 어려워하고, 못하고 있는지에 대해 이야기 해보고, 스스로를 되돌아볼 수 있는 시간을 가질 것이다. 그전에 혹시나 프롤로그를 제대로 읽지 않고 넘어온 독자가 있다면 프롤로그를 꼭 먼저 읽어보고 돌아오기를 추천한다.

- 꾸밀 줄을 몰라서

생각보다 정말 많은 사람들이 꾸밈이 얼마나 중요한지 인지하지 못하고 있는 경우가 많다. 연애에 있어서 가장 중요한 것이 무엇인지에 대해서는 이후에 조금 더 깊게 다루어 볼 것이지만, 외모가 연애에 있어서 큰 영향을 끼치고, 중요한 요소라는 점은 그 누구라도 공감하지 않을 수 없을 것이다. 6000건 이상의 컨설팅을 진행하다 보면 자연스럽게 정말 다양한 내담자들을 만나보게 되는데 재회에 대한 고민이나, 권태기에 대한 고민처럼 이미 연애를 하고 있거나, 연애를 웬만큼 해봤던 내담자들의 고민을 제외하고 연애 자체에 대한 어려움을 가지고 있거나, 연애를 한 번도 해본 적이 없는 내담자들의 대부분은 스스로를 꾸미는데 너무나도 소홀하다는 문제를 가지고 있다. 이성을 대하는 방법이나, 말을 잘 하는 방법 같은 연애와 관련된 모든 부분들을 고려하기 이전에 스스로를 전혀 꾸밀 줄 모르는 것이 가장 큰 원인이 되고 있다는 것이다. 쉽게 말해서 외모가 이성에게 어필이 되기는 커녕, 외모가 이성에게 거절 당하는 원인이 되고 있다는 것인데 재미있는 것은 스스로의 외모가 이성에게 거절 당하는 원인이 되고 있다는 것을 알고 있든, 없든 자신의 외모가 부족함에도 정작 상대방의 외모는 어느 정도 가꾸어져 있기를 바란다는 것이다.

현실에서든 인터넷에서든 외모지상주의적인 발언을 한다면 비난을 받기도 하지만 그럼에도 정도의 차이가 있을 뿐이지 그 누구도 외모를 고려하지 않을 수 없다. 하물며, '외모를 전혀 보지 않는다.'는 말을 하는 사람들 조차도 연애에 있어서 외모를 최우선 순위에 두지 않을 뿐, 취향과 최소한의 외모 기준은 있을 수 밖에 없을 것이다. 때문에 외모를 가꾼다는 것은 선택이 아니라 필수인데, 그럼에도 스스로를 꾸밀 줄을 모르거나, 외모를 가꿀 의지가 없다는 것은 연애를 하지 않겠다는 것과 다름이 없다. 꾸미는 것을 포기한 사람들 중에는 외모를 가꾼다는 것이 무조건 예쁘고 잘생겨져야 하는 것이라고 오해하거나, 본판이 부족해 외모를 가꾸어도 의미가 없다고 믿거나, 방법 자체를 몰라 포기하고 있는 경우가 많은데 외모를 가꾼다는 것은 단순히 무작정 예쁘고 잘생겨지는 것에 집착하는 것이 아니라 나의 개성을 더 강조하고, 외모가 어필이 되지는 않더라도 최소한 다른 사람에게 거부감을 느끼지 않도록 만드는 것도 외모를 가꾸는 것이라고 생각해야 한다고 말하고 싶다.

간혹, 대화를 해보면 인성도 정말 좋고, 성격도 유쾌하고 좋아 주변에 사람은 많지만 유독 연애만 오랜 기간 하지 못해 고민인 분들도 결국에는 외모가 호감형이 아니어서, 외모를 가꾸지 않아서가 원인인 경우도 적지 않다. 만약 주변 지인들이 정말 매력 있는데 왜 연애를 못하는지 모르겠다는 말을 자주 하거나 스스로 느끼기에 연애가 어려운 이유가 성격은 아닌 것 같다는 생각이 든다면 가장 먼저 자신의 외모에 대해 다시 생각하고, 적극적으로 개선해야 한다고 다시 한 번 강조하고 싶다.

- 재미가 없어서

연애가 어려운 이유는 정말 다양하다. 누군가는 말을 잘 못해서, 누군가는 외모가 부족해서, 누군가는 자신감이 없어서 등 다양한 각자의 이유로 연애를 어려워 하는데 연애라는 것은 결국 사람의 마음을 얻는 것이다 보니 당연히 어려울 수 밖에 없는 것이고, 마음을 얻는다는 것은 한 가지만 잘한다고 해서 쉽게 얻을 수 있다기보다는 복합적인 요소가 상대방의 마음을 동하게 만드는 것인데 10번을 잘해도 1번을 실수한다면 부정적인 인식이 강해지는 것처럼, 상대방이 좋아할 만한 모습을 보이는 것에만 집중하기 보다는 실수를 하거나, 상대방이 싫어하는 모습을 보이지 않을 수 있도록 노력해서 부정적인 인식을 만들지 않는 것이 더 나을 수 있다고 말하고 싶다. 그 중에서도 남성들의 큰 고민거리이자, 자칫하면 부정적인 인식을 남기기 쉬운 '재미' 라는 것에 대해 말해보고자 한다.

여성들에게 어떤 남자가 이상형이냐고 묻는다면 외모에 대한 부분을 제외하고는 편한 사람, 재미있는 사람이 좋다는 말은 꼭 나오게 된다. 반대로 말하면 불편하거나, 재미없는 사람은 싫다라고도 해석할 수 있는데 꽤 많은 사람들이 재미가 없다라는 말에 대해서 웃기게 하지 못해서, 코미디언처럼 유머러스하지 않아서 재미가 없다라는 말을 한다고 오해하거나, 거창하게 생각하는 경향이 있다. 때문에 말 한마디 한마디를 재미있게 하려다가 오히려 말문이 막히거나 스스로 이미지를 갉아먹는 실수를 하는 경우도 적지 않게 일어나는데 여기서 재미있다, 재미없다라는 판단은 거창할 것 없이 생각보다 사소한 곳에서 온다고 말하고 싶다. 일반적으로 이성 간에 재미있다라는 평가와 친구 사이에 재미있다라는 평가는 말 자체는 같은 말이지만 내재 되어 있는 의미와 결은 상당히 다른데, 친구 사이에서의 재미있다라는 평가는 대체로 앞서 언급한 것처럼 코미디언처럼 유머러스하거나, 과장된 행동에서 나오는 웃기다 같은 표현에 가깝다면 이성 간에 재미있다라는 평가는 웃기다와 같은 표현보다는 흥미롭다, 즐겁다라는 표현에 더 가깝다는 것이다. 때문에 이성에게 재미있다는 말을 듣기 위해서 유머러스하게 말하거나, 웃기게 행동하는 것이 본인의 성향에 맞기만 하다면 좋은 방법일 수 있지만 본인의 성향과 맞지 않다면 상대방을 웃기기 위해 억지로 무리를 하기보다는 상대방이 흥미와 재미를 느낄 만한 주제로 대화를 이끄는 것도 도움이 되고, 상대방이 더 많은 말을 할 수 있도록 잘 들어주거나, 리액션을 잘해주기만 해도 재미있다는 생각을 할 수 있다는 것이다.

지금까지의 당신은 어땠는가? 이성들과 시간을 보낼 때 같이 있으면 재미있다, 시간 가는 줄 모르겠다 같은 말들을 자주 들어왔다면 이번 장을 넘겨도 되지만 거의 들어본 적이 없거나, 반대로 재미가 없다 같은 말들을 적지 않게 들어봤다면 '재미'라는 것이 당신에게 연애가 어려운 이유가 될 수 있으니 다시 한번 되돌아 보는 것을 추천한다. 상대방에게 어필하기 위해, 재미있어 보이기 위해 무리해서 우스꽝스러운 모습을 보이지는 않았는지? 말 한마디 한마디를 재미있게 하기 위해 계속 고민하다가 오히려 말수가 줄어들지는 않았는지? 이성과 있을 때마다 무슨 말을 해야 할지 몰라 얼어버리지는 않았는지? 상대방을 웃기기 위해 했던 농담과 유머들이 오히려 더 어색함을 만들지는 않았는지? 만약 이 중에서 2가지 이상에 해당하거나, 비슷한 일이 일어난다면 당신의 연애가 어려운 이유가 '재미'에 있을 가능성이 높다. 그렇다면 앞서 내가 언급한 부분들도 다시 한번 생각 해보고, 이후 이와 같은 주제를 더 깊게 다룰 4장을 잘 따라와 주기를 바란다.

- 대화가 안통해서

나이 차이가 정말 많이 나는 어르신과 대화를 하거나, 너무나도 어린 아이들과 대화를 하다가 '대화가 안통한다'라는 생각을 해본 경험은 누구나 있을 것이다. 혹은, 나와 성향이 전혀 다르거나 가치관이 다른 사람과 대화를 할 때도 비슷한 생각을 해봤을 수도 있을 것이다. 대화라는 것은 한쪽이 일방적으로 말을 뱉기보다는 말을 하기도 하고, 상대방의 말을 들어주기도 하면서 생각이 비슷하다면 대화가 통한다라는 느낌을 받게 되는 것인데 반면, 상대방의 말은 전혀 들어주지 않고 자신의 말만 주구장창 늘어놓는가 하면, 여성 앞에서 군대 얘기를 하거나, 컴퓨터를 전혀 모르는 사람 앞에서 컴퓨터에 대한 어려운 이야기를 하는 것처럼 상대방은 전혀 관심이 없거나 이해하지 못할 만한 주제에 대해 일방적으로 늘어놓아서 상대방을 지루하게 만드는 사람들이 있다. 보통 이런 경우에 상대방은 대화가 안통한다는 느낌을 받게 되는데 생각보다 많은 사람들이 상대방을 고려하지 않고 말해서 이런 상황이 발생하고는 한다.

똑같은 언어로 대화를 하는데 왜 이런 일이 일어날까? 크게는 두 가지 이유가 있는데 첫 번째는 직전에 언급했던 '재미'와 굉장히 밀접한 이유가 있고, 두 번째는 대화를 하면서 상대방의 반응을 살필 줄 몰라서이다. 첫 번째의 경우 이전에 언급한 것처럼 상대방에게 재미있어 보이고 싶은 마음은 앞서지만 딱히 대화를 이어갈 만한 말이 없으니 무슨 말이든 하려고 무리를 하게 되어 상대방의 관심이나 흥미는 전혀 고려하지 않은 체 자신이 가장 신나게 말할 수 있는 주제를 억지로 꺼내게 되는 것이다. 예를 들어 상대방은 자동차에 대해 전혀 모르고, 자동차에 대해 관심도 없지만 말을 하려는 나는 자동차에 대해 잘알고, 자동차에 대해 말할 때 즐거우니 일단 무슨 말이라도 하기 위해서 자동차에 대한 말을 하기 시작하는 것이다. 자동차에 대해 전혀 모르는 상대방은 처음에는 어느정도 말을 들어주겠지만 당연하게도 점점 집중력과 흥미는 떨어지고, 그 대화는 시간이 지날수록 대화가 아닌 일방적인 말이 되는 것이다. 두 번째의 경우도 전체적인 맥락은 비슷하다. 상대방과 대화를 하면서 상대방의 반응을 살피지 못해서 문제가 되는 것인데 이는 정말 평소 눈치가 없는 편이거나, 상대방의 반응을 살필 줄 모르거나 살피지 않아서 문제가 되는 것이다. 내 담자분들과 상담을 진행할 때, 중요한 말을 할 때는 꼭 문자나 텍스트보다는 직접 만나서 대화를 하는 것을 추천하는데 직접 만나서 대화를 한다면 말을 하면서 상대방의 반응을 살필 수 있기 때문이다. 상대방의 반응을 살피면서 상대방이 긍정적인 반응을 보인다면 대화를 거기서 더 깊게 진행할 수 있고, 혹시나 부정적인 반응을 보인다면 즉각적으로 대응해서 대화를 다른 방향으로 진행할 수 있기 때문이다.

예를 들어 앞서 예를 든 것처럼 상대방과 대화를 이어가기 위해 내가 잘 알고 있는 자동차에 대한 주제로 대화를 텄다고 생각해 보자. 자동차에 대한 얘기를 하면서 상대방의 반응을 살피지 않는다면 상대방은 처음에는 잘 들어주다가 이내 흥미를 잃고 지루함을 느끼다가 대화가 통하지 않는다는 느낌을 받을 것이다. 반대로 자동차에 대한 얘기를 꺼냈다가 혹시나 상대방의 반응이 다소 무미건조하거나 지루해 보이는 듯한 모습을 보일 때 상대방의 반응을 살필 수 있다면 상대방이 자동차라는 주제에 대해 큰 흥미가 없는 것을 알 수 있을 것이다. 그러면 즉시 다른 주제로 다시 대화를 이어가며 상대방이 어떤 주제에 관심을 갖고, 어떤 주제에 대해 더 깊게 대화를 할 수 있는지 찾을 수 있고 서로 대화가 잘 통하는 주제를 찾게 된다면 상대방은 대화가 잘 통한다는 느낌을 받게 되는 것이다. 그렇다면 지금까지 당신은 어땠는가? 이성과 대화를 하면 결국엔 재미가 없다, 대화가 안통한다 라는 말을 듣지는 않았는가? 당신이 대화를 주도할 때 상대방이 기분 좋게 웃거나 리액션을 보이기 보다는 무미건조한 표정과 리액션을 보이며 아 – 라거나 네 – 라는 대답만 하지는 않았는가? 혹은 상대방이 당신이 주도하고 있는 주제에 대해 무언가 되묻거나 호기심을 가지기 보다는 말 한마디 없이 듣기만 하지는 않았는가? 만약 이 중 한 가지라도 해당하는 것이 있다면 높은 확률로 그동안 당신은 상대방과 대화를 하는 동안 상대방의 반응을 살피지 않았거나, 상대방이 관심을 가질만한 주제로 대화를 이어가지 못해 상대방은 지루함을 느끼고, 대화가 통하지 않는다는 느낌을 받았을 가

능성이 높다. 만약 대화가 통하지 않는다는 이유로 연애가 어려웠
다면 이는 꼭 개선이 필요한 부분이니 잘 따라와주기를 바란다.

- 이성을 만날 기회

학창시절 우리는 학교에서 정말 많은 것들을 배우지만 아직까지 우리나라는 보수적인 문화가 남아있다 보니 연애는 성인이 되어 대학에 가서야 할 수 있는 것, 학생들에겐 좋지 않은 것인 것처럼 인식되어 있다. 때문에 10대 때의 우리는 연애를 막연하게 드라마나 웹툰처럼 매체를 통해서 간접적으로 접하는 경우가 많은데 대부분의 드라마나 웹툰은 예쁘고 잘생긴 주인공들이 서로에게 진심을 다하면 어떻게든 이루어지거나, 가만히 있어도 그 둘이 자연스럽게 만날 수 있도록 온 세상이 돕곤 한다. 간접적이라고는 하지만 연애라는 것이 어떤 것인지 제대로 알기도 전에 이런 식으로 먼저 접하다 보니 생각보다 정말 많은 사람들이 가만히 있어도 운명적인 만남을 하게 될 수 있을 것이라고 생각하고 있다. 그러면서 이성을 만나기 위해 직접 이성을 찾아 나서는 것이나 다가가는 것에 대해 쓸데없는 행동, 철이 안 든 행동이라고 비난하기도 하는데 물론, 가벼운 만남을 위해 이성을 찾아다니는 것은 문제가 될 수도 있긴 하지만 제대로 된 연애를 원하며 진심을 가지고 이성에게 적극적으로 다가가는 것은 비난하지 않아야 한다는 것이다.

나도 정말 많은 이성을 만나보았고, 상담을 진행하면서도 내담자를 통해 이성을 만나는 경로에 대해 정말 많은 사례를 접해보지만 우리가 상상하는 운명적인 만남, 가만히 있어도 세상이 도와주는 만남은 정말 손에 꼽을 정도이고 그 외에는 특별할 것 없이 우리가 흔히들 알고 있는 방법이 대부분이다. 그렇기 때문에 영화나 드라마처럼 운명적인 만남을 하는 것은 현실에서는 정말 드문 경우이니 언젠간 운명적인 만남이 있을 것이라고 기대하며 기다리는 것은 결코 좋은 생각이 아니라는 것이다. 마찬가지로 만약 지인들이 곁에 있으면서 언제든 이성을 만날 수 있도록 도와주거나, 이성이 항상 먼저 다가와서 이성을 자연스럽게 만날 기회가 정말 많은 것이 아니라면 결국 이성을 만날 수 있는 기회에 스스로를 노출시키고 먼저 다가갈 수도 있어야 한다고 말하고 싶다.

만약 이 말이 이해가 되지 않는다면 지금까지의 과거를 되돌아봐도 좋다. 혹시 당신은 항상 연애를 하고 싶다는 마음을 가지고 있지만 방법이 없다거나 어떻게 해야 할지 모르겠다는 이유에서 하루하루 똑같은 삶을 살아가지는 않았는가? 혹은 변화를 감당할 자신감도, 이어갈 의지도 없어서 새로운 시도를 하지 않고 회피하지는 않았는가? 마음에 드는 이성이 있는데도 다가가기가 어려워서 아무것도 하지 못한 체 마음고생만 하지는 않았는가? 아니면 정말 미련하게도 언젠간 운명적인 만남이 있을 것이라는 기대감을 품고 아무것도 않으며 기다리고 있지는 않은가? 만약 당신이 이 중에 단 한 가지라도 해당사항이 있다면 그 이유 때문에 지금까지 연애를 하지 못하고 있을 확률이 높다. 쉽게 말해 드라마나 영화처럼 가만히 있어도 운명적인 만남을 할 확률은 낮으니 이성을 만날 기회를 기다리는 것이 아니라 이성을 만날 기회가 생긴다면 그 기회를 잡을 수 있도록 노력하고, 이성을 만날 기회가 없다면 스스로 만들 수 있어야 한다는 것이다. 결국, 기회가 없어서 연애를 못하고 있다는 것은 핑계라고 말하고 싶다.

– 연애를 위한 전략

물론, 그렇다고 해서 무작정 아무 이성에게나 다가가야 한다거나, 가능성이 전혀 없을 것 같은 이성임에도 관계를 만들기 위해 노력해야 한다는 것은 아니다. 아무 준비 없이 이성에게 다가가고, 관계를 만들려 노력한다면 오히려 상처를 받고 자신감이 떨어지게 될 수도 있기 때문이다. 그래서 나는 상담과 컨설팅을 진행할 때 내담자들에게 꼭 '연애에도 전략이 필요하다'라고 말한다. 연애에도 전략이 필요하다고 말했을 때 그게 어떤 의미인지 의아해하는 경우가 많은데 쉽게 말해 아무 생각 없이 이성을 대하지 말고 조금 더 현명하게 이성을 대하자는 것인데 그럼에도 연애에도 전략이 필요하다는 말이 어떤 의미인지 와닿지 않을 수 있으니 간단히 예를 들어보겠다. 취미활동을 위해 가입한 모임에 마음에 드는 이성이 있다고 가정해 보자. 마음에 드는 이성이 있을 때 이전에는 그 이성에 대해 제대로 알기도 전에 무작정 마음을 고백하는 것부터가 관계의 시작이라고 생각했을 것이다. 그럼 상대방은 만나는 사람이 있다며 어쩔 수 없이 거절을 했을 수도 있고, 마음을 표현한 당신을 그다지 이성으로서 매력적이라고 느끼지 않아 거절을 할 수도 있었을 것이다. 어떤 이유에서든 거절을 당한다는 것은 좋은 결과라고 볼 수 없을 것이다. 이러한 실패를 줄이기 위해 전략을 짠다면 취미활동을 위해 가입한 모임에 마음에 드는 이성이 있을 때, 이제는 이전처럼 무작정 마음을 고백하는 것이 아니라 상대방과 대화를 통해 친숙해지는 것을 우선시한 다음 자연스럽게 만나는 사람이 있는지를 먼저 확인하고, 만나는 사람이 없다면 어떤 사람이 이상형인지 확인하는 것이다. 그 후에 상대방의 이상형을 고려해 상대방이 원하는 이상형의 모습에 최대한 가까운 이미지를 만들어 다가가는 것이다. 그렇게 상대방에게 자신이 충분히 어필이 되고 있다고 판단될 때 마음을 표현해 보는 것이다. 다시 말해 상대방에게 어느 정도 시간을 들여 천천히 상대방을 파악한 후 어필이 될 만한 전략을 가지고 다가간다는 것인데 이렇게 전략을 짜고 자신에게 유리한 상황을 만들면서 상대방에게 다가간다면 만나는 사람이 있다는 이유처럼 예상치 못한 이유에서 거절당할 확률을 낮추고, 상대방이 마음을 받아줄 확률을 높일 수 있을 것이다.

혹자는 이렇게 전략을 짜야 한다는 것에 대해 이렇게까지 해야 하느냐고 묻거나 연애를 하기가 그렇게 어려운 것이냐며 지레 겁을 먹기도 하는데 사실, 이렇게까지 하지 않아도 연애를 할 수 있는 것은 맞다. 만약 당신이 연애에 대한 의지가 강하지 않다면 정말 이렇게까지 할 필요는 없다. 하지만 한 가지 확실하게 말할 수 있는 것은 전략을 짜고, 조금 더 현명하게 이성에게 다가가는 것이 익숙해진다면 당신의 이성에 대한 경험은 이전과는 완전히 달라질 것이라는 거다. 아무 전략 없이, 아무 생각 없이 이성에게 다가갔을 때 거절을 당하는 것은 당연하다. 지금까지 당신의 연애가 어려웠던 이유 중 하나는 아무 생각 없이 이성을 대했기 때문일 수도 있다. 그러니 연애에도 전략이 필요하다고 다시 한번 강조하고 싶다. 전략을 짜는 것의 중요성에 대해 이해가 쉽도록 최대한 간단하게 설명했기 때문에 정말 도움이 될 만한 부분들이나 자세한 부분들은 모두 생략했으니 전략을 짜는 것에 대한 자세한 부분은 이후에 조금 더 제대로 말해보도록 하겠다.

– 연애를 위한 준비와 투자

앞서 새로운 이성을 만날 기회를 만들거나, 마음에 드는 이성이 생겼을 때 전략적으로 접근하는 것에 대해 이야기해 보았는데 이것을 더 확실히 하기 위해서는 충분한 준비가 선행되어야 한다고 말하고 싶다. 연애를 어려워하는 사람들의 대부분은 상대방에 대해서 잘 모르는 것에 더불어 자기 자신에 대해서도 잘 모른다는 공통점이 있다. 상대방에 대해 알아야 전략을 짤 수 있는 것과 마찬가지로 자기 자신을 알아야 제대로 된 전략을 짤 수 있고 실행할 수 있기 때문에 자신의 강점이 무엇인지, 단점은 무엇인지부터 시작해 객관적으로 자신이 다른 사람들에게 어떤 모습으로 비추어지고 있는지도 파악하고 있어야 한다. 예를 들어 귀여운 외모를 가진 사람이 다른 사람들에게 시크한 모습을 보이려 하면 잘 어울리지 않고, 덩치가 큰 사람이 작은 옷을 입으면 어울리지 않는 것처럼 자신이 어떤 헤어스타일이 잘 어울리며, 어떤 옷을 입어야 자신의 강점을 살릴 수 있는지, 어떤 말투와 제스처가 자신과 잘 어울리는지를 알아야 한다는 것이다. 만약 본인이 평소 옷을 구매할 때 자신에게 잘 어울리는 스타일에 맞게 옷을 직접 고르는 것이 아닌 부모님이나 매장 직원이 골라주는 옷을 아무렇게나 입어왔거나, 이성에게 연애의 대상으로 보이지 않는다는 말을 들어봤거나, 매력이 없다는 말을 자주 듣는다면 당신은 지금까지 스스로를 잘 몰랐으며 자기관리를 충분히 하지 않았고, 어쩌면 이런 점들이 지금까지 연애를 하지 못했던 원인이 되었을 수도 있다. 그러니 지금이라도 연애를 하기 위한 준비와 자기 자신에게 더 많은 투자를 해야 한다고 말하고 싶다.

하지만 생각보다 정말 많은 사람들이 자기 자신에게 투자를 하지 않는다. 이 투자라는 것은 꼭 금전적인 부분뿐 아니라 시간과 노력도 포함이 되는데 자신에게 투자를 소홀히 하는 경우는 여성보다는 남성들의 비율이 더 높다. 여성들은 10대 때부터 자신을 가꾸고 관리하는 것에 굉장히 적극적이다 보니 20대가 될 때쯤 자신에게 어떤 스타일이 잘 어울리는지 찾게 되고 스스로에 대해 잘 알게 되는 경우가 많은데 남성들은 10대 때 가꾸는 것보다는 게임을 하거나 운동 같은 다른 관심사를 갖게 되는 경우가 더 많다 보니 그대로 20대가 되어서도 스스로에 대해 잘 모르는 경우가 많은 것이다. 만약 여성과 남성 모두 똑같이 자기 자신을 가꾸는 것에 소홀했다면 아무 문제가 없겠지만, 두 이성이 만나려 할 때 어느 쪽이든 한 쪽이 자신을 가꾸는 것에 소홀했다면 그 관계가 이어지기 어려울 수도 있을 것이다. 여성의 입장에서는 이성에게 매력적으로 보이기 위해 많은 시간과 노력을 투자했는데 자신에게 전혀 투자를 하지 않은 사람을 만나야 한다면 억울하지 않겠는가? 그렇기 때문에 이성을 만나고 싶다면 여성들이 자기 자신을 위해 투자하는 것만큼 남성들도 자기 자신을 위한 투자를 해야 한다는 것이다. 그렇다면 연애를 하기 위한 준비와 자기 자신을 위한 투자는 어떤 것이 있을까? 앞서 말한 것처럼 투자에는 꼭 금전적인 부분뿐만 아니라 시간과 노력도 포함이 되는데 이성에게 더 매력적으로 보이기 위해 운동을 한다거나 피부를 관리하기 위해 본인의 피부에는 어떤 관리가 필요한지 공부하고, 실천하는 것도 투자라고 볼 수 있을 것이다. 연애를 하기 위한 준비의 경우엔 운동이나 피부관리 같은 자기관리도 포함이 될 수 있겠지만 나의 취향이 무엇인지, 나에게 무엇이 잘 어울리는지, 내가 어떤 이미지인지 파악하고 활용할 수 있도록 준비하는 것이라고 볼 수 있다.

제대로 된 연애를 해보고 싶다는 의지가 있는 사람들이라면 이미 스스로에 대해 알고 잘 가꾸기 위해 다양한 시도를 해보기도 했을 것이다. 하지만 아무래도 헤어스타일이나 옷, 말투와 제스처 같은 것들은 모두 제3자의 평가가 중요하다 보니 누군가의 도움이 없다면 객관적으로 보기가 어려울 수밖에 없었을 것이다. 더군다나 이전까지 자기 자신을 가꾸는 것에 큰 관심이 없던 사람이었다면 자기 자신에게 더 많은 투자를 하려는 의지가 있어도 어디서부터 시작을 해야 할지도 정말 어려웠을 것인데 이 부분에 대해서는 3장에서 조금 더 자세히 말해보도록 하겠다.

어쩌면 내가 1장에서 말한 것들이 다른 책이나 유튜브에서 흔히 볼 수 있는 당연한 것들이라고 생각할 수도 있을 것이다. 그도 그럴 것이 이 당연하고도 흔하게 볼 수 있는 것들이 연애를 하기 위해 필수임에도 많은 사람들이 놓치고 있기 때문에 1장에서 가장 먼저 짚으려 했던 것이다. 1장은 전체적으로 간단하게 짚고 가는 장이기 때문에 다른 장에서 자세히 말해보기로 했던 부분들은 이후에 실질적으로 도움이 될 수 있도록 더 자세히 이야기할 것이니 계속 집중해 주기를 바란다. 연애를 하기 위해 자신을 가꾸고, 이성에게 매력적으로 보이는 것은 정말 어려운 일이다. 그렇다 보니 혼자서는 분명 어려움이 있는 것도 사실인데 지금까지는 도움을 줄 수 있는 사람이 없었기 때문에 막막할 수밖에 없었을 것이다. 그럴 때 주변에서 도움을 줄 수 있는 사람이 있다면 정말 빠르게 변할 수 있을 텐데 다행히 당신은 지금이라도 이 책을 통해서 나를 만났고, 나는 충분한 도움을 줄 수 있는 사람이다. 이제부터는 본격적으로 연애에 도움이 되는 것들에 대해 이야기해 볼 텐데 이 장을 마무리하며 마지막으로 묻고 싶다.

당신이라면 지금의 당신을 만나려 할 것 같은가?

2. 연애를 하기 위해 가장 중요한 것은 무엇일까?

연애를 하기 위해 가장 중요한 것은 무엇일까? 혹자는 외모라고 말할 것이고 또 누군가는 돈이나 성격이라고 말할 수도 있을 것이다. 외모, 돈, 성격 모두 정말 중요하기 때문에 틀린 말은 아니지만 나는 그보다 중요한 것이 있다고 말하고 싶다. 이번 장에서는 연애를 하기 위해 가장 중요한 것이 무엇인지에 대해 말해 볼 텐데 그전에 어떤 요소들이 있으며 어떤 특징이 있는지에 대해 먼저 살펴보겠다.

-외모

다른 사람의 첫인상을 결정짓는데 걸리는 시간은 대략 3초 정도라고 한다. 이성을 지인에게 소개를 받았거나, 원래부터 아는 사이였다면 상대방의 외모 외에도 성격, 직업같이 기존에 알고 있는 상대방에 대한 정보를 통해 상대방을 판단할 수 있지만 상대방에 대한 정보가 전혀 없는 상태에서 처음 마주하게 된 상황이라면 상대방을 판단할 수 있는 가장 중요한 정보는 결국 외모가 될 것이다. 제대로 대화를 해보고 서로 어떤 사람인지 충분히 알기도 전에 이미 외모로 첫인상이 결정지어진다는 것이다. 외모로 사람을 판단하는 것은 나쁜 것이라고 말들 하지만 솔직하게 말해서 그 누구도 외모로 타인을 판단하지 않는다고 말할 수는 없을 것이다. 지저분한 모습을 하고 다닌다면 자기관리가 부족한 사람이라고 추측하게 되고, 뚱뚱하다면 게으르다고 추측하거나 마른 몸이라면 적게 먹는다고 자연스럽게 추측하게 되는 것처럼 우리가 지금까지 살아오면서 만나고 겪어왔던 사람들을 통해 축적된 통계와 데이터는 나도 모르게 처음 만난 사람에 대한 유일한 정보인 외모로 판단하게 만드는 것이다. 하물며 아무것도 모르는 어린아이들조차도 잘생기고 예쁜 외모를 더 선호한다고 하는데 이미 외모에 대한 데이터가 축적되어 있는 성인이라면 그 정도가 더했으면 더했지 덜 하지는 않을 것이다. 그렇기 때문에 연애뿐 아니라 인간관계 자체에도 외모는 굉장히 중요하고 말할 수 있다.

외모는 비단 겉으로 보이는 얼굴의 예쁘고 잘생김만을 말하는 것은 아니다. 헤어스타일도 외모의 일부가 될 수 있고, 체형, 신장, 표정, 말투, 자세, 제스처, 액세서리와 패션도 외모가 될 수 있다. 이 모두를 조합해 그 사람의 외모를 평가하게 되는데 외모가 호감형이거나 다른 사람들보다 출중할수록 새로운 관계를 시작할 때 조금 더 쉽게 호감을 얻을 수 있어 유리할 수 있다. 반대로 자기관리가 잘 되어있지 않아 보이거나 외모가 호감형이 아니라면 아무리 성격이 좋고 인간성이 좋아도 처음엔 외모로 판단하게 되는 경향이 있다 보니 관계의 시작이 어려워질 수 있고, 어쩌면 매력을 보여줄 기회조차 얻지 못할 수도 있을 것이다. 앞서 1장에서 말했던 것처럼 생각보다 굉장히 많은 사람들이(특히, 남성의 비율이 높다.) 자신의 외모를 가꾸는데 무관심한 경우가 많은데 외모를 가꾸는 것은 선택이 아닌 필수사항이기 때문에 꼭 다른 사람들보다 외모가 출중한 정도가 아니어도 괜찮으니, 첫인상이 부정적이지 않을 정도나 적어도 평범하다는 평가를 받을 정도로는 자기 관리를 할 필요가 있다고 말하고 싶다. 처음부터 출중한 외모가 되는 것을 목표로 잡는다면 오히려 도중에 지쳐버릴 수 있으니 한 번에 드라마틱한 변화를 기대하지 말고, 처음에는 외모가 평범하다는 평가를 받을 정도를 목표로 잡아 하나씩 하나씩 쉬운 것부터 시간을 들여 변화할 수 있도록 하는 것을 추천하고 싶다. 자기 자신을 위해 시간과 돈, 노력을 투자하는 것은 필수이니 아까워하지 않아야 한다.

- 성격

연애 경험을 쌓고 가치관을 형성하기에 가장 도움이 되는 10대 때 정말 많은 사람들이 외모가 부족하다는 이유로 연애 경험을 쌓을 기회를 얻지 못하고 자신감을 잃게 되기도 한다. 이것이 원인이 되어 성격을 중요하게 생각하는 성인이 되어서도 외모가 가장 중요하다는 생각을 버리지 못해 외모가 부족하다는 이유로 자신감이 없는 모습을 보이거나, 연애를 시도조차 못하는 경우가 정말 많다. 하지만 아무리 외모가 출중해도 성격이 나쁘거나 과하게 소심한 면이 있다면 처음에는 외모 덕에 호감을 살 수 있지만 결국에는 성격 탓에 연애로 이어지기가 어려울 수 있다. 반대로 아무리 외모가 평범하더라도 성격이 굉장히 좋거나 매력적이라면 큰 어려움 없이 연애를 할 수 있는데 이런 경우엔 오히려 외모가 출중한 사람보다 인기가 더 많은 경우도 있다.

한 가지 사례로 대학생 신입생 시절 동기 중에 이목구비가 뚜렷하고 정말 남자답게 잘생겼다며 이목을 끌던 친구가 있었다. 첫인상은 당연히 좋았고 그 친구의 외모만 보고서 이성으로서의 호감을 가졌던 동기들도 더러 있었다. 그럴 때마다 한 번도 연애를 해본 적이 없는 모태솔로라고 자신을 소개했는데 농담으로 흘려들을 뿐 그 누구도 믿지 않으려 했다. 하지만 시간이 지나 대학교에

적응을 하게 되고 여러 술자리를 거치며 한 달쯤이 지났을 땐, 그 친구에게 이성으로서의 호감을 갖는 동기는 더 이상 없었고, 왜 지금까지 연애를 해본 적이 없는지 모두가 납득을 하게 되었다. 한 달이 지난 시점에서 여자 동기들 사이에서의 그 친구에 대한 평가는 잘생겼다에서 재미가 없다, 매력이 없다, 여자를 너무 모른다로 바뀌어 있었다. 3~4월 새 학기의 특성상 술자리가 굉장히 많았고 그 친구를 포함해 동기들은 술을 마시며 대화를 할 기회가 정말 많았는데 여기서 그 친구의 부족한 점이 발견되기 시작한 것이다. 그 친구에게 이성으로서의 호감을 갖던 동기부터 단순히 외모에 이끌려 친하게 지내고 싶었던 동기들은 가까워지기 위해 말을 걸며 먼저 다가갔는데 그 친구는 성격이 진지하고 내향적인 편이었다 보니 그다지 재미있는 대화를 이어가지도, 상대의 말에 제대로 호응을 해주지도 못 했던 것이다. 또, 그 친구는 학창시절엔 연애나 이성보다는 공부와 운동에 더 관심이 많았던 터라 남자 동기들과 가까워 지는 데는 큰 어려움이 없었지만 여자 동기들과는 더욱 가까워지기가 어려웠던 것이다. 결국 처음 여자 동기들에게 받던 관심은 한 달 만에 사라졌고, 연애와는 거리가 먼 대학생활을 하다 군 입대를 한 것이다. 그런데 여기서 정말 재미있는 점은 그 친구가 군대에 다녀와서는 곧바로 복학을 했고 얼마 지나지 않아 과에서 여자친구를 사귀었다는 점이다. 성격 탓에 여자친구를 사귀는 것과는 거리가 멀 것 같았던 그 친구에 대한 평가는 이전과 많이 달라져 있었는데, 이전에는 잘생겼지만 재미가 없고, 매력이 없다는 평가를 받았지만 군대에 다녀온 후엔 잘생기고 재미있다는 평가를 받게 된 것이다. 알고 보니 스스로도 자신의 성격이 이성에게 어필이 되기에 부족하다는 것을 알고 있었는데 어떻게 해야 성격을 바꿀지 방법을 찾지 못하고 있다가 가게 된 군대에서 만난 몇몇 재미있는 선임들과 함께 지내다 보니 자연스럽게 성격이 바뀌었다는 것이다. 모두의 이목을 끌 정도로 외모가 출중했던 그 친구의 유일한 단점이었던 성격은 더 이상 단점이 되지 않았는데, 성격을 개선한 후에 그 친구의 행보는 직접 설명하지 않아도 상상할 수 있을 것이다.

이렇듯 외모도 분명 중요하지만 '외모만' 가지고는 이성을 만나는 데 분명 어려움이 있을 수 있다. 반대로 외모가 조금 부족하지만 성격이 좋다면 첫인상은 그다지 어필이 되지는 않겠지만 성격으로 보완을 할 수 있을 것이다. 그 예로 누가 봐도 못난 남자가 예쁜 여자친구와 데이트를 하는 모습을 보며 의아해했던 경험이 있을 것이다. 저 남자가 돈이 많거나 여자가 봉사심이 투철할 것이라며 자기 위로를 하면서 지나쳐가기도 했을 텐데 이는 정말 남자가 돈이 많다거나 여자가 봉사심이 투철해서라기보다는 남자는 외모를 우선시하는 경우가 많지만 여자는 외모보다도 그 사람의 성격이나, 지위, 분위기를 보는 경우가 많기 때문에 충분히 있을 수 있는 일인 것이다. 결국 외모가 출중하다면 좋겠지만 외모만 가지고는 연애를 하기에 어려울 수밖에 없고, 외모가 부족하더라도 성격으로 충분히 커버를 할 수 있기 때문에 성격도 굉장히 중요하다는 것이다.

그렇기 때문에 "나는 외모가 부족해서 어차피 뭘 해도 안돼"라거나 외모가 출중한 사람에게 "내가 저 외모였다면 날아다녔을 거야."라고 말하면서 외모 탓을 하고 포기를 하는 사람들에게 그건 절대로 외모 때문이 아니라고 말하고 싶다. 외모 탓만을 하고 있는 사람들이 연애를 못하고 있는 것은 외모 때문이 아닌 그 사람의 성격 혹은 태도 때문일 가능성이 높다고 생각하기 때문이다. 그렇다면 과연 연애를 위해 가장 중요한 것은 외모도 아닌 성격일까?

- 돈

어떤 사람들은 연애를 하기 위해 가장 중요한 것이 돈이라고 믿기도 한다. 워낙 매체에서 부자들이 돈과 권력을 이용해 예쁘고 잘생긴 사람을 쉽게 만나는 장면들을 많이 비추어주다 보니 좋은 차를 타고 돈이 많으면 연애를 쉽게 할 수 있다고 생각하는 사람들이 많아진 것이다. 물론, 돈이 많고 좋은 차가 있다면 이성을 만나고 연애를 하는 데 도움이 될 수는 있을 것이다. 더 좋은 곳에서 더 좋은 시간을 보낼 수 있기 때문에 돈이 없는 것보다는 돈이 많을 때 더 기회가 많아질 수 있기 때문이다. 하지만 연애를 하기 위해 가장 중요한 것이 돈이라고 말하기는 어려운데 여기서 중요한 점은 이성을 만나 연애를 하기 위해 '돈으로만' 어필을 했는지, 돈이 이성을 만나 연애를 하기 위해 활용할 수 있는 여러 수단 중 하나 정도였는지이다. 이해가 쉽도록 두 가지 사례로 예를 들어보겠다. A라는 남자는 평소 자기 관리를 게을리해 그다지 호감이 가는 외모는 아니지만 경제적으로는 굉장히 여유가 있다. B라는 남자는 자기 관리를 철저하게 해 외모는 호감형이지만 경제적으로는 그다지 여유가 있지는 않다. A라는 남자는 자신의 외모가 호감형이 아니라는 것을 잘 알고 있다 보니 자신의 유일한 무기인 돈으로 이성에게 어필한다. 좋은 차를 가지고서 자신의 차에 혹할 이성을 찾고, 관계를 유지하기 위해 선물 공세를 하며 돈이라는 자신의 무기를 활용한다. B라는 남자는 경제적으로는 여유가 없다 보니 좋은 차나 선물을 할 수는 없지만 자신이 호감형이라는 점과 자신의 매력으로 어필하며 조금 더 상대를 신경 쓰고 배려하려 노력한다.

조금 더 확실한 이해를 돕기 위해 두 가지 극단적인 예를 들어보았는데 두 상황 모두 멀리서 봤을 땐 각자의 강점과 무기로 아무 문제 없이 이성을 만나는 것처럼 보일 수 있을 것이다. 하지만 과연 돈으로 어필해서 이루어진 관계가 제대로 된 관계라고 할 수 있을까? 관계가 이어지더라도 그것을 연애라고 말할 수 있을까? A는 돈으로만 이성에게 어필을 했기 때문에 A를 만나는 사람은 그 돈에 이끌려온 것이다. 그렇기 때문에 상대방은 A를 만나는 것이 아니라 A의 돈을 만나는 것이라고 볼 수 있는데, 최악의 경우엔 돈을 기대하며 A를 만나면서 뒤에서는 자신의 이상형에 가까운 다른 사람을 만나려 할 수도 있을 것이다. B도 이성을 만나 연애를 하다 보면 돈을 먼저 쓰기도 하고 이성에게 선물을 하기도 할 것이다. 하지만 B는 돈보다는 자신이 가진 다른 장점들을 가지고 어필을 하며 돈을 여러 가지 수단 중 하나의 수단 정도로 활용했을 뿐이다. 그렇기 때문에 B를 만나는 이성은 B에게 돈이 있든 없든 B라는 사람 자체가 좋아 B를 만나려 할 것이고, 관계는 A의 관계보다 더 깊을 것이다. A를 만나는 이성은 A에게 마음보다는 돈을 원했고, B를 만나는 이성은 B의 돈보다는 마음을 원하는 것인데 여기서 내가 말하고자 하는 A와 B의 차이는 돈이라는 수단이 '주'가 되었는지 '부'가 되었는지이다. 단순히 돈으로 어필했기 때문에 문제라는 것이 아니다. '돈으로만' 어필을 했기 때문에 문제라는 것이다. 결국, 돈은 연애를 하기에 있어 도움을 줄 수 있는 요소이기는 하지만 도움을 줄 수 있는 정도일 뿐 가장 중요하다고 보기는 어렵다는 것이다.

- 경험

그렇다면 연애를 하기 위해 가장 중요한 것은 무엇일까? 눈치가 빠른 독자라면 이미 눈치를 챘을 수도 있을 것이다. 외모가 출중하다면 첫인상에도 좋은 영향을 주기 때문에 모든 관계를 조금 더 쉽게 시작할 수 있도록 만들어줄 수 있다. 하지만 성격이 좋지 않다면 외모가 출중해도 연애를 하기가 어렵고, 성격이 좋다면 외모가 부족하더라도 어느 정도 성격으로 커버를 해서 연애를 할 수는 있겠지만 그렇다고 해서 외모를 전혀 관리하지 않는다면 그 성격을 보여줄 기회조차 얻지 못할 것이다. 돈이 많다면 돈을 이용해 더 좋은 연애를 즐기고 하나의 어필 수단으로 사용할 수 있지만, 돈을 유일한 수단으로 이용한다면 그 관계는 마음이 아닌 돈으로 이루어진 관계이다 보니 결국 언제든 끊어질 수 있는 가벼운 관계일 수밖에 없을 것이다. 결국 연애를 하기 위해 외모도, 성격도, 돈도 중요하지만 가장 중요한 것은 이 세 가지를 적절히 활용할 수 있는 '경험'이라고 말하고 싶다. 앞서 여러 번 강조했듯 외모만으로는 부족한 점이 있고, 성격만으로도 부족한 점이 있고, 돈만으로도 부족한 점이 있기 때문에 각각의 요소에서 오는 강점들을 정확히 파악해 나에게 맞게 활용해야 하는데 경험이 많이 쌓여있다면 이런 부분들이 더욱 쉬워질 수 있기 때문이다.

경험이 굉장히 중요하다는 것을 증명하는 한 가지 예로 최근 SBS에서 굉장히 큰 이슈를 끌고 있는 '나는 솔로'라는 방송을 들고 싶다. 이 방송에 출연하는 출연자들은 모두 우리가 주변에서 흔히 볼 수 있는 일반인들로 나이대는 20대에서 40대까지 폭넓은 나이대로 구성되어 있으며, 직업은 대체로 경제적으로 여유가 있을 만한 직업을 가지고 있다. 직업도 나이도 모두 다르지만 이들의 공통점은 솔로라는 점인데 방송을 시청해 본 경험이 있는 독자라면 알겠지만 몇몇 출연자들이 어딘가 어리숙해 보이기도 하고 나이에 비해 충분히 성숙하지 않은 듯한 모습을 보이기도 한다. 한 참가자는 경제적으로도 여유가 있고, 외모도 준수한 편에 성격도 굉장히 유해 보이는데 이성을 사귀어본 경험이 1번이 전부라고도 했다. 무엇이 문제일까? 나는 이 방송에 출연하는 대부분의 출연자들이 연애 경험이 부족해도 너무 부족했던 것 같아 보였다. 이를 보고 몇몇 시청자들은 같은 시기에 이슈가 되었던 '환승 연애'라는 방송과 비교해 환승 연애의 출연자들은 '데이트'를 하기 위해 맛있는 음식을 먹는데, 나는 솔로의 출연자들은 '맛있는 음식'을 먹기 위해 데이트를 한다며 환승연애의 출연자들과 나는 솔로의 출연자들의 행동이 어딘가 다름을 공감했다. 그렇다면 과연 나는 솔로의 출연자들처럼 연령대가 어느 정도 있음에도 연애 경험이 적다면 사람들은 그들을 순수한 매력이 있다며 더 선호할까? 그렇지 않다. 나이가 어리다면 그들의 또래도 마찬가지로 나이가 어리고 연애 경험이 적을 수 있기 때문에 연애 경험이 적은 것을 보고 순수하다고 생각하거나 더 선호할 수도 있을 것이다. 하지만 나이가 어리지 않은데 연애 경험이 적다면 어딘가 문제가 있어서 연애 경험이 적을 것이라는 선입견을 될 수도 있을 것이다. 또한, 어느 정도 나이가 있는데 상대적으로 연애 경험이 적으면 상대방은 어설픈 모습을 답답하다고 느끼거나, 매력적이지 않다고 생각할 수도 있을 것이다. 그렇기 때문에 연애 경험이 많은 사람은 자연스럽게 연애 경험이 어느 정도 있는 사람을 선호하게 되기도 한다.

이토록 경험이 중요한 이유는 사람마다 성격도, 생김새도, 말투도 모두 다르고 상황에 따라 대화의 주제나 분위기, 감정 등 모든 것이 다르기 때문이다. 대화 주제를 생각하거나, 멘트 같은 것들을 준비해도 크게 도움이 되지 않는 이유이기도 하다. 상대방이 어떤 말을 하고 어떻게 행동할지 미리 예측을 하기는 어려울 수밖에 없는데 경험이 많다면 어느 정도 예측할 수 있는 범위가 늘어나기도 하고 상황에 맞게 즉흥적으로 대처를 할 수 있기 때문이다. 또, 실수는 누구나 할 수 있기 때문에 대부분의 사람들은 실수를 했다는 것 자체에 집중하기보다는 그 실수를 어떻게 대처하느냐에 더 집중하게 되는데 같은 상황에서도 경험이 많다면 더 여유 있고 재치 있게 대처할 수 있고 이런 대처능력은 이성에게 있어서 매력적으로 보일 수 있기 때문에 경험은 정말 중요하다고 할 수 있다. 예를 들어 데이트를 하기 위해 식당을 예약해두었는데 실수로 날짜를 잘못 예약해서 갑자기 일정이 비었다고 생각해 보자. 경험이 적은 사람은 당황한 모습을 보이며 어떻게 해야 할지 오히려 상대에게 묻거나 다른 식당을 예약하는데 상당한 시간을 길거리에서 허비할 수도 있을 것이다. 하지만 같은 상황에서도 경험이 많은 사람은 아무 일도 아닌 것처럼 여유 있는 모습을 보이며 상대의 기분이 상하지 않도록 일정을 다시 잡고, 상대가 평소 좋아했던 음식이나 식당을 기억해 내서 길거리에서 허비하는 시간이 없도록 바로 이동하는 식으로 대처를 할 수도 있을 것이다. 똑같은 상황에서도 경험에 따라 그 상황을 더 불편하게 만들 수도 있고 아무렇지 않은 일로 만들 수도 있는 것이다.

이렇듯 외모, 성격, 경제력 등 아무리 좋은 환경을 가지고 있어도 경험이 없다면 이를 제대로 활용하기가 어렵고 이성에게 매력적으로 보이기가 어려울 수 있다. 그렇기 때문에 나는 만약 본인이 경험이 부족하다고 생각한다면 경험을 쌓기 위해 이성을 최대한 많이 만나보는 것을 추천하고 싶다. 이성을 최대한 많이 만나보라는 말에 누군가는 "저는 정말 사랑하는 사람 한 사람과 오랜 기간 제대로 사귀어 보고 싶어요."라고 말할 수도 있을 것이다. 최대한 많은 사람을 만나보라는 말에 거부감을 느낀다는 것인데 나는 연애 경험이 있어야 상대방이 정말 좋은 사람인지, 자신과 잘 맞는 사람인지 판별할 안목도 생긴다고 생각한다. 또, 정말 사랑하는 사람이 나타났을 때 그 사람에게 매력적으로 보여 연인 관계로 발전시키고, 그 관계를 제대로 이끌어 갈 자신이 있는지 되묻고 싶다. 만약 스스로 생각했을 때 제대로 된 사람을 판별할 안목도 있고, 상대에게 매력적으로 보일 자신도, 그 관계를 제대로 이끌어 갈 자신도 있다면 그건 이미 충분한 경험이 쌓여있기 때문일 것이다. 결국 정말 사랑하는 사람과 제대로 연애를 하기 위해서라도 경험이 필요하다는 것이다. 상담을 진행하다 보면 20대 초반에 정말 잘 맞는 사람을 만나 6~8년간 장기간 연애를 하며 결혼까지 생각하다가 헤어진 후에 새로운 사람을 만나는 것이 너무 어려워 나를 찾아오는 내담자분들을 드물지 않게 볼 수 있다. 6~8년간 장기간 연애를 했을 정도라면 서로 정말 잘 맞았다고 볼 수 있고 정말 좋은 추억도, 많은 경험도 쌓았을 텐데 무슨 문제가 있어 나를 찾아온 것일까? 20대 초반부터 장기간 연애를 했다가 헤어진 사람들은 그 한 번의 연애 경험 외엔 사실상 다른 연애 경험이 적거나 없는 경우가 대부분이다. 그렇다 보니 그동안 해온 연애 기간이나 나이에 비해 이성에게 매력적으로 보이는 방법이나, 이성에게 다가가는 방법도 잘 모르고 새로운 사람을 만나는 것도, 깊은 관계로 발전하는 것도 어려워 나를 찾아오는 것이다. 그런데 여기서 더 큰 문제는 처음 연애를 시작할 땐 연애 경험이 적어도 아무 문제가 되지 않는 20대 초반이었지만 헤어지고 나니 20대 후반이 되어있다는 것인데, 20대 후반에 또래를 만나게 된다면 또래들은 이미 연애 경험이 적지 않을 가능성이 높을 것이다. 새로운 관계를 시작할 땐 감정에 휘둘리지 않도록 절제해야 하는데 상대적으로 연애 경험이 적은 데다, 직전에 장기간 연애를 했다 보니 감정을 절제할 필요가 없는 상황에 익숙해져 감정을 절제하기가 어려운 것이다. 감정을 절제하지 못한다면 혼자서 급해질 수도 있고, 상대에게 쉽게 보여 놀아나거나 마음의 상처를 받을 수도 있을 것이다. 정도가 심하다면 아예 상대에게 이성으로서의 어필이 되지 않을 수도 있을 것이다. 그렇다고 해서 정말 잘 맞는 사람을 만나 장기간 연애를 하는 것이 나쁘다는 것은 절대 아니다. 오히려 장기간 연애를 하다가 그대로 결혼을 하게 된다면 더할 나위 없게 좋을 것이다. 내가 말하고자 하는 것은 20대 초반에 만났을 땐 경제력이나 변심, 환경의 변화 같은 이유로 아무리 오래 만난다 하더라도 결혼까지 하게 될 확률은 낮기 때문에 결국에는 헤어지게 될 가능성이 높은데 장기간 연애를 하다가 헤어졌을 때 생길 어려움들이 가볍지는 않을 것이기 때문에 한 사람과만 장기간 연애를 하는 것이 마냥 좋지만은 않을 수 있다는 것이다.

나조차도 연애가 정말 어려웠던 때가 있었다 보니 최대한 많은 이성을 만나며 경험을 쌓으려 했었고, 그 경험이 나에겐 정말 도움이 됐었기 때문에 이토록 확신을 가지고 말할 수 있는 것이다. 한 번은 독실한 기독교 신자이며 20대 후반이 될 때까지 연애 경험이 단 한 번도 없었던 지인에게 이런 나의 가치관을 설명해 준 적이 있었다. 처음 그는 나에게 "이성을 많이 만나는 것은 잘못된 행동이다."부터 시작해 "너는 쓰레기다."라는 과격한 표현을 쓰기도 했었다. 평소 온화했던 그의 입에서 나오기엔 굉장히 거친 표현이었고 그 이상 그를 설득할 필요성을 느끼지 못해 그 대화는 끝이 났다. 그런데 그로부터 2년쯤이 지나 그가 30대가 초반이 되며 상황은 바뀌었고, 상황의 변화는 그의 생각을 바꾸어놓았던 것이었다. 그는 나에게 이성을 소개해달라며 부탁을 해왔고, 이성을 만나는 방법에 대해 묻거나, 이전에는 나에게 쓰레기라고 표현할 정도로 거부감을 느끼던 나의 가치관에 대해서도 다시 한번 말해달라는 부탁을 하기도 했었다. 많은 대화를 하며 알고 보니 그는 애초 나의 의도 자체를 잘못 이해한 것이었다. 여기서 내가 말하는 최대한 많은 이성을 만나보자는 것은 한 번의 여러 명을 만난다거나, 이성을 가볍게 생각하며 가볍게 만나라는 것이 아니다. 이성을 만날 수 있는 기회가 생긴다면 그 기회를 꼭 잡고, 기회가 없다면 만들어서라도 이성을 만나되 그 한 번 한 번을 진심으로 만나며 경험을 쌓는 것을 말하는 것이었는데 그는 마냥 가볍게 만나는 것만 생각한 것이다. 이후 나의 도움을 받은 그는 3개월 정도가 지났을 때 연애를 하기 시작했고 지금까지 연애에 대한 자신의 생각이 얼마나 잘못된 것인지를 뒤늦게 깨달은 것이, 지금까지 날린 자신의 수많은 기회들이 너무나도 후회스럽다고 말했다.

– 연애를 위해 지금부터 준비해야 할 것들

지금까지 연애를 하기 위해 어떤 것들이 중요한지에 대해 말해보았다. 이후 3장부터는 본격적으로 연애를 위해 도움이 될 만한 것들을 말해볼 텐데 그전에 지금 당장부터 준비해야 할 것들을 몇 가지 말해보고자 한다. 그중 가장 먼저 말해 보고자 하는 것은 연애에 대한 마음가짐이다. 연애 경험이 없거나 적은 사람들 중에서 생각보다 정말 많은 사람들이 앞서 언급했던 나의 지인처럼 연애에 대한 잘못된 가치관을 가지고 있는데 잘못된 가치관과 마음가짐은 결국 스스로 연애를 더 어렵게 만드는 원인이 될 수 있다고 말하고 싶다. 예를 들어 나의 지인 같은 경우엔 이성을 만나기 위해 적극적인 것은 잘못된 행동이고 가만히 있어도 운명적인 만남을 할 수 있다는 생각을 갖고 있었다보니 30대 초반이 될 때까지 연애를 하지 못했다. 되돌아봤을 때 조금만 더 적극적이었다면 놓치지 않을 수 있었던 기회도 있었다고 하는데 스스로의 마음가짐이 여러 기회를 놓치게 만든 것이다.

그 외에도 상담을 진행하며 정말 다양한 케이스를 접하게 되는데 A라는 남성 내담자분은 여자친구의 성격도, 외모도, 자신을 대하는 태도도 모두 마음에 들었고 서로 잘 맞아서 시간이 지날수록 관계는 더 견고해지고 있었다고 한다. 그런데 어쩌다 여자친구의 과거인 전 남자친구의 존재를 알게 되었는데 이것이 문제의 발단이 되었다고 한다. 여자친구에게 과거가 없다는 것이 말이 안 된다는 것은 알고 있었지만 여자친구가 전 남자친구와 스킨십을 하고 달콤한 말을 주고받았을 것을 상상하니 점점 스트레스가 쌓였다고 한다. 처음에는 애써 잊으려 했지만 그 생각은 사라지지 않고 점점 더 심해지기 시작했다는 것이다. 스트레스가 쌓이다 보니 차라리 스트레스를 받지 않기 위해 헤어지는 것이 낫겠다는 생각까지 했다고 한다. 그 시점에서 나를 찾아왔고 나는 몇 가지 질문을 통해 A라는 남성분이 정말 잘못된 마음가짐을 가지고 있다는 것을 확인할 수 있었다. 보통 연애 경험이 적은 사람들이 자신이 만나는 사람의 과거에 집착하고 스트레스를 받는 경향이 있는데 A라는 남성분 같은 경우엔 이번 연애가 첫 연애였다 보니 여자친구에게 더욱 집착을 하게 되었던 것이다. 거기다 나이가 20대 초반이 아닌 이상 과거가 없기가 어려운데, A분에게 이번에 만나는 여자친구와 헤어지게 되면 본인도 과거가 생기는 것 아니냐는 질문을 했을 땐 과거 자체가 문제가 아니라 그 과거를 숨기지 못해 자신이 알게 된 것이 문제라고 대답하는 것이다. 자신이 과거에 집착하는 것이 문제라는 생각을 하지는 못하고 자신에게 전 남자친구의 존재를 숨기지 못한 여자친구의 잘못이라는 생각을 가지고 있었던 것이다. 자신의 마음가짐 탓에 관계는 어려워졌고, 더 견고해지고 있던 관계를 이런 이유로 끝낸다는 것은 절대로 현명하지 않음을 본인도 잘 알고 있지만 감당할 수 없을 정도로 부정적인 생각이 커져버린 것이다.

또 한 번은 K라는 내담자분과 대면 상담을 진행한 후 컨설팅을 해준 적이 있는데 K라는 분은 '나 정도면 괜찮다'라는 생각을 가지고 있었다. 이런 자신감은 정말 좋지만 문제는 그 자신감이 자만감으로 바뀌었다는 것인데 자신감이 자만감으로 바뀌면서 스스로를 가꾸지 않게 되고 과하게 눈만 높아지게 되어버린 것이다. 연애 경험이 어느 정도 있는 사람들은 이성들을 만나고 연애를 경험하며 자연스럽게 자신에 대해 객관화가 된다. 그러면서 자신의 이상형이 무엇인지, 어떤 사람과 잘 맞는지 틀이 잡히게 되는데 연애 경험이 적거나 아예 없는 사람의 경우엔 이성의 관점에서 자신이 어떻게 비추어지는지 알 기회가 없다 보니 자신에 대한 객관화가 되지 않는 것이다. 거기다 K분 같은 경우엔 직접 이성을 만난 것이 아니라 SNS나 TV 같은 매체에서 아이돌이나 배우처럼 화려한 이성들만을 접하다 보니 정확히 자신의 이상형이 무엇인지, 어떤 사람과 잘 맞을지 틀은 잡히지 않고 말 그대로 눈만 높아져 버린 것이다. K분은 평소 운동을 좋아해 탄탄한 몸을 가지고 있었지만 그 외에 자신을 가꾸는 것에는 전혀 관심이 없었다. 본인이 운동을 통해 탄탄한 몸을 가지고 있다는 것을 스스로도 잘 알고 있다 보니 탄탄한 몸이 자신의 가장 큰 무기라는 점을 인지하고 있었는데 문제는 이것 하나만으로 충분하다고 생각했던 것이다. 때문에 피부는 항상 터 있었고 헤어스타일은 정리되지 않아 부스스했는데 거기다 옷은 전형적인 공대생 같은 스타일을 하고 있었다. 스타일 같은 경우엔 조금만 신경 쓴다면 금방 개선이 될 수 있기 때문에 그다지 어려움은 없는 부분이지만 문제는 K의 마음가짐이었다. 연애를 한 번도 한 적이 없다 보니 자신이 평소 좋아하던 아이돌들에게 눈높이가 맞추어져 평범한 외모의 이성에겐 전혀 관심을 갖지 않았던 것이다. 평범한 외모나 어느 정도 예쁘다는 말을 종종 들을 법한 외모의 이성 사진을 보여주면 그저 그렇다는 대답을 하고 SNS에서 유명할 법한 외모의 이성의 사진을 보여주면 그제야 마음에 든다는 대답을 하는 것이다. 그렇다 보니 매번 정말 화려한 사람에게만 관심을 가지고, 짝사랑을 하다가 차이게 되어 지금까지 한 번도 연애를 하지 못한 것이었다. 만약 당신이라면 몸이 좋다는 것 외엔 자기관리가 전혀 되지 않고 꾸미지 않는 이성에게 관심이 생길 것 같은가?

 물론, K분처럼 정말 이성을 만나본 적이 없어서 무작정 눈이 높아진 경우엔 조금만 마음을 내려놓고 한 번이라도 이성을 경험하게 되면 자연스럽게 눈높이가 맞추어지는 경우가 대다수인데 문제는 내가 컨설팅을 해주었던 것처럼 특별한 계기가 없다면 눈이 높다 보니 한 번이라도 이성을 만나 볼 시도조차 하지 않게 되어 그 생각에서 벗어나지 못하는 것이다. 이런 현상은 꼭 남성뿐 아니라 여성에게도 많이 나타나는데 공통점은 연애 경험이 적거나 아예 없다는 것이다. 그렇기 때문에 자기 객관화와 올바른 마음가짐을 갖는 것은 스스로를 위해서라도 꼭 필요하다고 말하고 싶다. 지금까지 연애에 대한 잘못된 생각과 마음가짐이 연애를 어떻게 어렵게 만드는지 몇 가지 사례를 살펴보았다. 이 외에도 연애를 어렵게 만드는 잘못된 생각과 마음가짐에 대한 사례는 정말 많지만 하나하나 모두 설명할 수는 없을 것이다. 그런데 만약 내가 연애를 할 때마다 매번 정말 비슷한 이유로 헤어지거나, 매번 이성에게 듣는 나의 단점이 비슷하다면 상대가 아닌 나에게 문제가 있을 수도 있으니 내가 무엇을 잘못하고 있는지, 무엇을 잘못 생각하고 있는지 다시 한번 되돌아보는 것을 추천한다.

3장에서는 외모와 스타일에 대한 것들을 말해볼 것이다. 외모를 관리하고 스타일에 변화를 두기 위해서는 노력도 필요하지만 시간과 돈도 필요하기 때문에 시간과 돈을 아까워하지 말고 자신에게 투자를 한다는 생각으로 몇 가지 준비를 해주었으면 한다. 첫 번째로는 머리 길이이다. 머리 길이를 준비하라는 말이 의아할 수 있을 텐데 대면컨설팅을 진행하며 항상 가장 아쉬웠던 점은 내담자들의 머리 길이였다. 옷이나 피부관리는 돈이 있다면 그 자리에서 내가 도움을 줄 수 있는 부분이지만 머리 길이가 짧다면 내가 잘 어울리는 헤어스타일을 찾아주기도 어렵지만 그 자리에서 변화를 시도해 보기도 어렵다. 그렇기 때문에 우선 본인의 머리 길이가 길지 않다면 변화를 시도해 보기 전에 지금부터 최대한 길러보는 것을 추천한다. 어느 정도의 머리 길이가 적당한지 감이 잡히지 않을 텐데 옆(옆면을 덮는 머리와 구레나룻)과 뒷머리는 깔끔하게 정리해도 괜찮지만 많은 스타일을 시도해 보기 위해서라도 적어도 앞머리는 눈썹을 덮어 눈과 눈썹 사이까지는 기르는 것을 추천한다. 혹시나 옆머리를 평소 투블럭으로 정리하는 것을 선호한다면 옆이 비어 보이는 6mm나 12mm보다는 18mm를 추천한다. 또, 외모를 가꾼다는 것은 피부관리와 옷도 포함이 되는데 피부관리나 옷 스타일을 바꾸는 것은 결국 돈이 필요하기 때문에 지금부터 변화를 위해 충분한 자금을 준비해 두어야 한다. 다시 말해 이 책을 모두 읽고 나서 미용실을 갔을 때 머리가 짧다면 변화를 가지기 어려우니 머리를 지금부터 기르고, 피부관리를 위한 제품과 옷을 새로 구매해야 하는데 돈이 없다면 미루다가 흐지부지되거나 자금을 생각하다 그저 그런 옷을 구매하게 될 수 있으니 돈 때문에 하나씩 포기하거나 미루지 않도록, 확실한 변화와 자신감을 위해서 충분한 자금을 준비해야 한다는 것이다.

3. 외모와 스타일에 대해

　연애를 잘하기 위해서는 성격 같은 내면도 중요하지만 그전에 외모가 어느 정도 상대방의 흥미를 자극할 정도는 되어야 내면을 어필할 기회가 생길 수 있다고 말할 수 있다. 일단 외모가 마음에 들어야 궁금할 것이고, 궁금해야 성격은 어떤지 내면을 더 들여다볼 의지가 생길 것 아닌가? 그래서 이번 장에서는 외모와 스타일에 대해서 말해볼 것인데 나는 패션 스타일리스트나 메이크업아티스트는 아니기 때문에 외모나 스타일에 대한 정말 디테일하고 전문적인 정보를 주지는 못할 것이다. 하지만 외모를 가꾸기 위해 무엇부터 시작해야 할지, 자신의 스타일을 어떻게 찾아야 할지 감을 전혀 잡지 못하고 있는 독자에게는 정확한 방향성을 제시해 줄 수 있을 것이다.

- 피부관리

우선 피부관리에 대해 먼저 말해보고 싶다. 여성이라면 대부분 화장을 하다 보니 자연스럽게 피부관리를 병행하는 경우가 많은데 남성 같은 경우엔 간단한 피부관리는커녕 세안 자체를 하지 않는 경우가 정말 많다. 그나마 최근엔 남자가 무슨 피부관리냐며 비난을 하는 시선이 많이 줄어 피부관리를 하는 남성들이 정말 많이 늘었지만 너무나도 극단적이게도 피부관리를 정말 제대로 하거나 아예 하지 않거나 이렇게 두 케이스로 나뉘어 있다. 예쁘고 잘생겨지는 방법에 대해 막연하게 생각하는 사람들은 성형수술이나 피부과에서 거금을 주고 관리를 하는 것처럼 거창한 어떤 변화가 있어야 한다고 생각하지만, 생각보다 큰 변화보다는 작은 것들이 쌓여 변화를 가져오는 경우가 많다. 예를 들어 세안을 하고 제대로 수분 관리를 해주는 것만으로도 피부결과 톤이 정돈되어 외모가 더 나아 보일 수 있는데 세안을 하고 수분 관리를 해주는 것은 그렇게 어렵거나 큰 변화를 필요로 하는 것이 아니다. 그러니 작은 것부터 하나씩 습관화하는 것이 좋은데 우선 세안은 하루에 2번씩은 꼭 하는 게 좋다. 아침에 일어났을 때와 자기 전에 세안을 하는 것인데 이렇게 세안을 해야 하는 이유는 아침에 경우엔 세안을 한 후에 충분한 수분을 보충하기 위한 것이고 자기 전은 하루 종일 활동하며 얼굴에 쌓인 노폐물을 제거하는 한편으론 취침하는 밤새 동안 건조하지 않도록 충분한 수분을 보충하기 위한 것이다. 피부관리를 전혀 하지 않는 사람들은 수분관리가 얼마나 중요한지 크게 인지하지 못하는 경우가 많은데 수분관리가 되지 않는다면 피부가 건조해져 굉장히 빠르게 노화할 수 있고, 피부가 트는 경우엔 똑같은 외모라도 더 칙칙하고 어두워 보일 수 있기 때문에 수분관리를 하는 것과 하지 않는 것의 차이는 정말 크다고 말할 수 있다. 세안을 한 후 수분관리 같은 경우엔 일반적으로는 토너 – 앰플 혹은 에센스 – 크림(로션)의 순서로 수분관리를 하는데 각종 기능에 따라 추가로 사용해 볼 수 있는 제품도 많을 것이다. 하지만 피부를 관리하는 것이 익숙해지기도 전에 처음부터 너무 많은 제품을 사용하려 한다면 번거로움 때문에 도중에 중단하게 될 수 있으니 토너나 에센스는 건너뛰더라도 최소한 수분 크림은 꼭 사용하는 것을 추천하고 싶다. 다시 말해 하루 2회 기상 후와 취침 전 세안을 하고 세안 후에는 수분관리를 꼭 사용해주어야 한다는 것이다. 세안과 수분관리가 어느 정도 익숙해져 습관이 되었다면, 그때 토너와 에센스를 사용해 주고 욕심이 있다면 그 이상을 추가로 사용하는 것도 좋다.

그럼 여기서 세안을 위해서는 어떤 제품을 사용해야 하고, 수분관리를 위해서는 어떤 크림을 사용해야 할지도 고민이 될 텐데 우선 자신의 피부타입을 확인하는 것이 우선이다. 보통 피부는 크게 지성과 건성으로 나뉘는데 세안을 하고 30분 정도가 지난 후에 피부가 땅긴다면 건성, 유분기가 있고 당기지 않는다면 지성이라고 볼 수 있다. 혹은 평소 여드름이 많거나 피부가 기름지다면 지성일 가능성이 높고 여드름이 잘 나지 않거나 피부가 건조한 편이라면 건성일 가능성이 높다. 본인의 피부 타입을 확인했다면 피부 타입을 고려해 클렌징(세안)제품과 수분 크림을 구매해야 하는데 너무나도 많은 제품이 있어 아직은 자신에게 맞는 제품을 찾기가 어려울 수밖에 없으니 피부관리가 익숙해질 때까지는 올리브영처럼 인기 있는 제품을 추천받을 수 있는 매장에서 피부 타입에 맞게 추천을 받아 사용해 보는 것으로 시작하는 것을 추천한다. 올리브영처럼 제품을 추천해 주는 매장에 방문해 직원에게 "제가 지성(건성)피부인데 혹시 클렌징제품이랑 수분크림을 추천해 주실 수 있나요?"라고 문의를 하는 것이다. 직원이 추천해 주는 제품은 대체로 인기 있고 성능이 검증 된 제품이기 때문에 피부관리가 익숙해질 때까지는 큰 고민 없이 사용하기에 좋다. 이후에 피부관리가 익숙해질 때쯤에는 성분이나 타입을 고려해 자신에게 더 잘 맞는 제품을 찾아 사용하는 것을 추천하는데. 혹시나 일반 편의점이나 마트에서 파는 저가의 제품을 사용 중이거나 사용을 고려 중이라면 오히려 피부에 트러블을 일으킬 수 있으니 꼭 피하는 것이 좋다고 말하고 싶다. 세안과 보습 관리에 대해 가장 기본적인 것만 이야기해 보았는데 추가적으로 피부를 정말 제대로 관리하고 싶다고 생각한다면 외출을 할 때 꼭 선크림을 바르는 것을 추천한다. 어리고 젊을 때는 선크림을 바르지 않아도 크게 티가 나지 않다 보니 선크림의 필요성을 느끼지 못해 귀찮다는 이유로 선크림을 바르지 않는 경우가 정말 많은데 선크림을 바르지 않으면 색소침착이 일어나 피부 톤이 어두워지거나 잡티가 날 수 있고, 무엇보다도 피부가 굉장히 빠르게 노화한다. 그 예로 아직 30대 정도밖에 되지 않은 직업군인분들이 40대처럼 보이는 경우가 많은데 선크림을 바르지 않고 햇빛에 장기간 노출이 됐기 때문이다. 인터넷에서 선크림의 중요성이라는 키워드로 검색만 해도 선크림이 왜 중요한지 이미지로 확인할 수 있으니 선크림을 왜 발라야 하는지 이해가 되지 않는다면 꼭 확인해보았으면 한다.

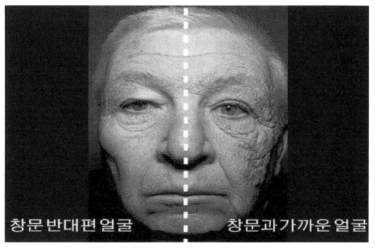

선크림을 바르지 않은 한 트럭운전수의 얼굴이다.

다른 사람을 처음 볼 때 시선의 흐름은 전체에서 세부적으로 이동하게 되는데 긍정적인 평가를 하게 되는 요인은 크게 얼굴(피부)과 헤어스타일 마지막으로 옷 세 가지로 나뉜다.

- 헤어스타일

간단하게나마 수분관리를 하게 되었다면 이제는 다음으로 중요한 헤어스타일에 대해 말해 보고자 한다. 남자는 머리빨이라는 말이 있듯 헤어스타일만으로도 전체적인 이미지와 외모가 달라 보일 수 있는데 7년 정도 전까지만 해도 대부분의 남자들은 손질이 편하고 무난하다는 이유로 투블럭 댄디컷을 선호하곤 했다. 하지만 최근엔 댄디컷뿐만 아니라 리프컷, 아이비리그컷, 가일컷, 가르마컷 등 굉장히 다양한 스타일이 유행하고 있는데 아이비리그컷이나 가일컷 같은 경우엔 머리 길이가 다소 짧은 편의 스타일이다 보니 처음엔 난해하게 느껴질 수 있다. 마찬가지로 리프컷이나 가르마컷같은 경우엔 길이감이 있는 편이지만 어느 정도 손질을 할 줄 알아야 하기 때문에 손질이 충분히 익숙해지기 전까지는 오히려 지저분해 보일 수 있다. 그렇기 때문에 아직 손질이나 꾸밈이 익숙하지 않거나, 자신에게 어울리는 스타일이 어떤 스타일인지 정확히 파악하지 못하고 있다면 처음엔 시스루 댄디컷으로 시작하는 것을 추천하고 싶다. 시스루컷이라고 부르기도 하는데 우리가 흔히 알고 있는 투블럭 댄디컷과 굉장히 유사한 스타일이기 때문에 익숙하게 느껴질 수 있을 것이다. 투블럭 댄디컷은 옆머리를 9mm나 12mm로 짧게 잘라 두피가 하얗게 보이게 정리하고 앞머리는 내림 머리지만 숱을 많이 정리하지 않아 무거운 느낌을 주는데 길이가 길면 이마나 눈썹이 전혀 보이지 않고 바가지머리처럼 보이는 특징이 있다. 시스루 댄디컷에 경우 전체적인 느낌은 투블럭 댄디컷과 비슷하지만 옆머리를 18mm ~ 22mm 정도로 두피가 하얗게 보이지 않도록 길게 정리하고 앞머리의 기장감은 투블럭 댄디컷과 비슷하지만 숱을 많이 정리해 더 가벼워 보이면서 이마나 눈썹이 비쳐 보이는 특징이 있다.

헤어스타일에 크게 관심이 없는 남성들이 투블럭 댄디컷을 하고 있는 경우가 많은데 옆머리가 투블럭으로 짧아 두피가 하얗게 보이고, 기장은 길지만 숱을 정리하지 않아 바가지머리처럼 보이는 헤어스타일은 전혀 매력적이지 않다. 아무리 외모가 잘생겨도 이런 머리를 한다면 자신의 외모를 죽이고 있는 것일 것이다. 투블럭 댄디컷을 했을 때 자기 관리를 하지 않는 것 같다거나, 어린학생 같다는 말을 듣는다면 시스루 댄디컷을 했을 땐 꾸민 것 같다는 말이나 부드러워 보인다는 말을 들을 수 있을 것이다. 그렇다면 미용실에 가서 시스루 댄디컷을 해달라는 말을 어떻게 해야할까? 여기서는 우선 내가 2장에서 언급했던 것처럼 미용실에 방문하기 전 충분한 머리길이가 준비되어 있어야한다. 아이비리그컷처럼 짧은 헤어스타일을 할 것이라면 전혀 상관이 없지만 시스루 댄디컷이나 가르마컷처럼 머리 길이가 길어야 제대로 모양이 나오는 스타일은 기본적으로 앞머리의 길이가 최소한 눈썹을 덮거나 그 이상이 되어야 하기 때문에 만약 본인의 머리길이가 눈썹을 덮지 않거나 딱 눈썹까지 오는 길이라면 충분히 기른 후에 미용실을 방문하는 것을 추천한다. 머리 길이가 충분하다면 미용실에서 디자이너에게 "시스루 댄디컷으로 해주세요"라고만 말해도 굉장히 유행하는 스타일이기 때문에 동네에서 어르신들을 대상으로 하는 미용실이 아니라면 모두 알아서 해줄 것이다. 여기서 옆머리는 어떻게 할 것이냐고 물을 텐데 옆머리는 내가 말했던 것처럼 "18mm로 해주세요"라고 말하는 것이다. 여기서 만약 조금 더 디테일하게 설명을 할 수 있다면 시스루 댄디컷은 이전에 말했던 것처럼 앞머리의 길이감이 어느 정도 있어야 하기 때문에 "시스루 댄디컷으로 해주시는데 앞머리는 길이감이 있게 유지하고 숱은 쳐서 가볍게 해주시고 옆머리는 18mm로 해주세요"라고 말한다면 실패할 확률이 더 낮아질 수 있다. 이렇게 시스루 댄디컷으로 시작해 머리를 손질하는 것이 익숙해지고 자신에게 어울리는 스타일을 찾게 된다면 리프컷이나 가르마컷, 아이비리그컷처럼 유행하는 다른 스타일을 시도해 보는 것도 좋을 것이다. 여기서 만약 본인이 돈을 더 들여서라도 제대로 꾸며보고 싶다는 마음을 가지고 있다면 다운펌을 추가로 해보는 것을 추천한다. 다운펌을 하지 않는다면 보통 옆머리가 뜨게 되는데 옆머리가 뜨면 머리가 더 커보이게 된다. 하지만 다운펌을 하면 옆머리가 뜨지 않아 더 슬림하고 머리가 작아 보일 수 있다. 어떤 헤어스타일을 하게 되든 다운펌을 하게 된다면 큰 도움이 되니 여유가 있다면 다운펌까지 시도해보는 것을 추천하고 싶다.

- **패션스타일**

이제 당신이 기본적인 피부관리를 하게 되고 깔끔한 헤어스타일을 가지게 되었다면 보통 정도의 외모는 가졌다고 할 수 있을 것이다. 여기서 한 단계 더 나아가려면 자신에게 정말 잘 어울리는 옷을 골라야 하는데, 지금 이 책을 읽고 있는 독자마다 체형과 생김새, 피부 톤이 다를 것이기 때문에 특정 브랜드나 특정 옷을 추천해주기보다는 자신에게 어울리는 옷을 찾는 방법을 알려주도록 하겠다. 보통 옷에 크게 관심이 없던 사람들이 옷을 구매하기로 마음먹는다면 두 가지 방법으로 옷을 구매하게 된다. 백화점에 가서 이름난 브랜드로 무작정 사 입거나, 부모님 혹은 옷집에서 추천해주는 옷을 구매하게 되는 것이다. 만약 옷집에서 옷을 추천해주는 직원이 양심적이고 실력이 좋다면 정말 잘 어울리는 옷을 추천해줄 수 있겠지만 그렇지 않은 직원을 만나게 된다면 잘 어울리는 옷보다는 매장 매출에 도움이 되는 옷을 구매하게 되는 낭패를 볼 수도 있을 것이다. 여기서 우리가 목표로 해야 할 것은 무난한 옷을 구매하는 것이 아니라 잘 어울리는 옷을 구매해야한다는 것인데 잘 어울리는 옷을 구매하기 위해서는 자신의 취향도 확실히 알아야 한다.

그러기 위해서는 결국 많은 옷과 스타일들을 봐야하는데 직접 옷집을 돌아다니는 것은 너무나도 비효율적이니 룩핀, 온더룩, 하이버같이 온라인쇼핑몰들이 다수 입점해있는 어플을 설치해 여러 가지 스타일들을 둘러보는 것을 추천한다. 그 중에서도 온더룩이라는 어플은 키와 체형도 설정할 수 있어 나에게 맞는 다양한 스타일을 볼 수 있으니 더욱 도움이 될 것이다. 나의 취향을 찾을 땐 처음부터 디테일한 부분을 보기보다는 그 스타일의 전체적인 느낌을 본 후에 마음에 든다, 마음에 들지 않는다로 나누고 그중에서도 나에게 잘 어울릴 것 같다는 느낌의 스타일이 있다면 그때부터 조금 더 세부적으로 보는 것이다. 어떤 상의와 하의를 입었는지, 외투는 어떤 것을 입었는지, 신발은 어떤 색상인지 등 조금 더 자세히 보는 것이다.

이런 방식으로 여러 가지 스타일들을 보다 보면 조금 더 눈에 띄고 이렇게 입어보고 싶다는 느낌을 주는 스타일들이 있을 텐데, 그 스타일의 사진들을 캡처해 따로 모아두었다가 시도해보는 것이다. 그런데 여기서 중요한 것은 우리의 잔고는 무한대가 아니기 때문에 어울리지 않는 옷을 구매하는 시행착오를 줄여야 한다는 것이다. 옷들은 직접 입어볼 때와 사진으로 볼 때는 다르고 아직 어떤 스타일들이 자신과 잘 어울리는지 확실하지 않으니 캡처를 해두었던 사진을 가지고 이제는 직접 오프라인 옷 매장에 방문해 사진과 똑같이 입어보는 것이다. 사진을 가지고 있다면 직원들의 도움이나 추천 없이도 충분히 옷을 입어보고 코디해볼 수 있을 것이다. 물론, 이 방법이 손도 많이 가고 굉장히 번거로울 수 있다. 가장 좋은 방법은 제 3자가 체형과 키, 피부 톤을 고려해 잘 어울릴만한 옷을 추천해주고 가능한 많은 옷을 입어보는 것이지만 내가 제안하는 방법은 혼자서 누군가의 도움 없이 최소한의 비용을 들이며 자신의 스타일을 찾기에는 가장 효율적인 방법이라는 점을 잊지 않아야한다. 처음 큰 변화를 기대하는 사람들은 옷을 잘 입고 싶다는 의욕 때문에 무리를 하는 경우가 많은데 처음 시작을 할 땐 화려하게 꾸미거나 밝은 색상의 옷들을 시도하기 보다는 깔끔하게 꾸미거나 검정색, 흰색, 회색처럼 무채색으로 기본적인 옷들을 먼저 시도해보는 것을 추천한다. 처음엔 이 방법이 생각하는 것보다 시간이 많이 걸리기도 해서 어렵게 느껴질 수 있겠지만 한두 번 잘 어울리고 마음에 드는 옷을 구매하게 된다면 이후엔 자신감이 붙고 재미가 생겨 오히려 시간이 날 때마다 옷을 보게 될 것이다.

- 표정

외모는 타인의 눈에 가장 처음 들어오는 정보이며, 당신을 판단하고 평가하는 기준이 된다. 타인이 당신을 평가할 때, 피부관리가 잘 되어 있고, 헤어스타일이 잘 정돈되어 있으며, 옷도 깔끔하게 입고 다닌다면 당신의 대한 첫인상은 분명 좋은 쪽에 있을 것이다. 그런데 외모라는 것이 꼭 헤어스타일이나, 패션처럼 외부적인 요인에만 있는 것은 아니라고 말하고 싶다. 겉을 치장하는 것 말고도 나 자신에게서 뿜어져 나오는 분위기와 제스쳐, 표정 같은 것들도 외모를 평가하는데 있어서 중요한 요소로써 큰 영향을 준다는 것이다. 그 예로 표정의 경우 똑같은 사람이 똑같이 꾸며도, 평소 어떤 표정을 하고 있느냐에 따라 매력적으로 보이거나, 그다지 매력적으로 보이지 않을 수도 있다는 것이다. 아래의 사진을 보자. 사진은 이해를 돕고, 조금 더 와닿을 수 있도록 가져온 비교 사진으로, 한때 방영되었던 tvN의 드라마 '나의 아저씨'에서의 아이유씨의 사진이다.

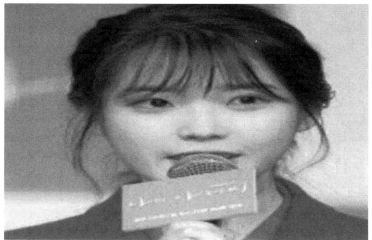

tvN 드라마 '나의 아저씨'

어떠한가? 비슷한 시기의 같은 사람이지만 겉으로 보이는 느낌과 외모는 달라 보인다. 물론, 촬영을 위한 화장과 보정도 차이를 만들었겠지만 그럼에도 표정 자체에서 오는 외모의 차이는 극명하다. 두 사진에서 아이유씨의 표정에는 어떤 차이가 있을까? 좌측 사진의 경우는 눈빛이 죽어있으며, 전체적인 표정이 아래로 처져 있다. 그렇다 보니 눈은 더 작아 보이고, 얼굴에 그늘이 져 안색이 어두워 보이고, 다소 피곤해 보이기도 한다. 우측의 사진은 어떠한가? 크게 미소를 짓고 있는 것은 아니지만 어느 정도의 미소를 머금고 있으며, 눈을 크게 뜨고 있고, 전체적인 표정이 위로 올라와 있다. 그렇다 보니 눈은 더 크고 초롱초롱해 보이며, 인상 또한 밝아 보이고, 컨디션도 좋아 보인다. 그렇다면 우리는 어떤 표정을 지어야 이성에게 더 매력적으로 보일 수 있을까? 당연히 밝게 웃고 있을 때나, 배우처럼 표정이 다양할 때 이성에게 더 매력적으로 보일 수 있을 것이다. 때문에 이성을 만날 땐 가능하다면 밝은 표정과 웃고 있는 모습을 자주 보여주는 것이 좋을 것이다.

하지만 그렇다고 해서 이성과 함께 있을 때, 매 순간 밝게 웃고 있을 수는 없는 노릇일 것이다. 또, 우리는 웃고 있을 때나, 화가 났을 때, 슬플 때처럼 감정이 표정에 드러날 때만 타인을 마주하지는 않는다. 쉽게 말해 타인을 마주할 때, 감정이 표정에 드러나고 있는 상황이 아니라면 결국 우리는 '무표정'으로 타인을 마주하게 될 가능성이 높다는 것이다. 내가 말하고 싶은 요점은 이 '무표정'에 있는데 우리가 평소에 짓고 있는 이 '무표정'은 습관과도 같기 때문에 자신도 모르게 타인을 대할 때도 이런 표정을 짓게 될 수 있을 것이다. 그렇게 된다면 상대방의 눈에 당신은 그다지 생기있어 보이지도, 매력적으로 보이지도 않을 것이다. 물론, 직업이나 주변 환경 자체가 사람을 자주 만나고, 밝은 모습을 자주 보여야 하는 직업과 환경이라면 이 '무표정'도 습관적으로 생기 있고 매력적으로 보이도록 변화할 것이다. 하지만 대부분은 그렇지 않을 것이고, 특히나 사람을 만날 일이 적은 환경에 있거나, 혼자서 집중하는 일이 많은 직업이라면 '무표정'은 왼쪽 사진속 아이유씨와 비슷한 느낌을 줄 것이다. 정확히 감이 오지 않는다면 의식적으로 표정을 바꾸려 하지 말고 평소의 무표정 그대로를 유지하며 지금 바로 거울을 들여다보라. 어떤가? 만약 생기있고, 눈에는 힘이 있으며, 전체적으로 밝은 표정이라면 이 부분은 바로 넘어가도 괜찮을 것이다. 하지만 그렇지 않다면 당신의 무표정 습관도 개선할 필요가 있을 것이다.

우선 무표정이 생기가 없어보이고, 처져보이는 가장 큰 원인은 눈에 있을 가능성이 높다. 눈에 힘이 없고, 눈을 작게 뜬다면 전체적인 인상이 처져 버리는 것인데 다행히도 안검하수가 있는 것이 아니라면 대부분은 노력으로 개선할 수 있다. 눈에 힘이 없고, 눈을 작게 뜨게 되는 것의 대부분은 습관적으로 작게 뜨게 되는 것이다 보니 의식적으로 습관을 바꾸고, 눈을 크게 뜨는 연습을 해야 하는데 무작정 눈을 크게 뜨려 하면 오히려 이마에 주름이 생기고, 부자연스러운 느낌을 줄 수 있다. 때문에 가능한 이마에 힘을 빌리지 않고 눈을 크게 뜨는 것을 습관화해야 하는데 방법은 생각보다 간단하다. 우선 턱을 아래로 당기면서 고개를 아래로 숙이고, 그 상태에서 눈동자로 위를 바라보고, 시선을 고정한체로 다시 고개를 드는 것이다. 그러면 이마를 쓰지 않고 자연스럽게 눈을 크게 뜬 상태가 되어 있을텐데 인위적으로 눈을 크게 뜨려 한다거나, 이마를 써가며 눈에 힘을 주지 않도록 유의하며 이렇게 눈을 뜨는 것을 습관화하는 것이다. 처음엔 나도 모르게 습관적으로 다시 이전처럼 눈을 뜨고 있겠지만 계속해서 의식하며 눈을 크게 뜨는 연습을 한다면 어느 순간부터 눈의 근육이 단련되고, 무표정에서도 눈을 생기 있게 뜨고 있을 것이다.

이후 어느 정도 눈을 생기 있게 뜨는 것이 습관이 된다면 더 나아가 생각이 날 때마다 치아가 모두 보이는 형태로 이~ 하고 웃는 것을 연습하는 것도 큰 도움이 된다.

KBS 스펀지

이렇게 치아가 모두 보이는 형태로 이~ 하고 웃는 표정을 주기적으로 연습한다면 굳어있는 얼굴 전체의 근육이 풀리고, 자연스러워지며 평소의 표정이 더 생기있고 매력적으로 보일 수 있게 된다. 마찬가지로 괄사라는 마사지기를 이용해서 마사지를 주기적으로 해준다면 얼굴 전체의 붓기가 빠지고, 근육이 풀어져 이목구비가 더 뚜렷해지고 생기있어 보일 수 있으니 병행 해주면 더욱 효과가 좋다.

눈을 자연스럽게 크게 뜨고, 웃는 표정을 연습하거나 마사지를 통해 얼굴 전체의 근육을 풀어주는 것이 습관이 된다면 당신의 무표정은 더 생기 있고 매력적으로 보일 것이고, 웃는 모습처럼 감정이 담긴 표정은 상대방에게 더욱 매력적으로 표현될 것이다. 물론, 습관을 바꾸고, 반복해야 하는 것들이다 보니 어느 정도 노력과 시간이 필요하지만 지속적으로 의식하며 연습한다면 효과는 생각하는 것 이상으로 정말 클 것이다.

- 운동

마지막으로 운동에 대해 말해보고 싶다. 외모와 스타일에 대해 말하고 있는데 갑자기 웬 운동이지? 라는 생각을 할 수도 있을 텐데 운동은 외모에 지대한 영향을 미친다. 유럽의 한 연구 결과에 따르면 운동을 하면 남성 호르몬이 더 많이 분비가 된다는 결과가 있는데 이 남성 호르몬은 남성의 외모에 많은 변화를 부른다. 남성 호르몬이 적게 분비가 될수록 여성의 외모에 가까우면서 전체적으로 선이 부드러운 느낌이고, 남성 호르몬이 많이 분비 될수록 남자다우면서도 선이 굵어지는 느낌을 준다. 쉽게 말해 남성 호르몬이 많이 분비될수록 더 남자답고 잘생겨 보일 수 있다는 것이다. 무엇보다도 얼굴이 아무리 잘생겨도 운동을 하지 않아 평범한 몸을 가지고 있다면 아쉽다는 말을 들을 정도로 최근 트렌드 자체가 운동을 많이 해서 몸이 좋은 남자, 남자다운 남자로 바뀌었기 때문에 운동은 선택이 아닌 필수라고 말하고 싶다.

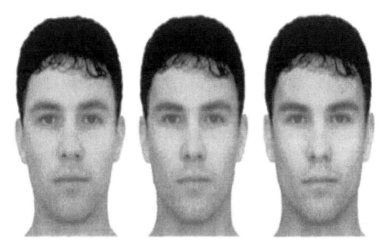

좌측에서부터 우측으로 갈수록 남성호르몬이 많이 분비되는 남성이다.
우측으로 갈수록 남성의 이목구비가 뚜렷해 보인다.

또, 혹시나 어떤 옷을 입어도 잘 어울린다는 느낌이 없거나, 다른
사람이 입으면 멋있어 보이는 옷이 내가 입었을 땐 그저 그래 보
인다면 체형 탓일 가능성이 높다. 평범한 체형이라면 어떤 옷이든
큰 어려움 없이 입을 수 있지만 체지방이 많다면 많아서, 체지방
이 너무 적다면 적어서 문제가 될 수 있으니 운동을 통해 체형을
보정하고 옷을 입었을 때 느낌을 살릴 수 있는 체형을 만들어야
한다는 것이다. 내가 운동을 전문적으로 하는 사람은 아니기 때문
에 어떤 식으로 운동을 해야 하는지를 자세히 말해줄 수는 없지
만 운동을 해서 체지방을 줄이고 근육량을 늘렸을 때, 외모와 옷
핏에 굉장히 긍정적인 영향을 많이 미친다는 것은 확실하게 말해
줄 수 있다. 물론, 앞서 말한 것처럼 운동 외에도 다른 자기 관리

를 하는 것은 필수이기 때문에 단순히 운동을 하고, 남성 호르몬이 많이 분비된다 해서 모두 잘생겨 보이고 남자다워 보인다는 것은 아니다.

피부관리와 머리 손질, 운동, 옷을 찾아보고 구매하는 것이 익숙해지고 습관이 된다면 정말 아무것도 아니게 되지만 그전까지는 평소 하지 않았던 것들을 해야하다보니 하나하나 굉장히 귀찮게 느껴지고 어렵게 느껴질 수 있을 것이다. 만약 정말 귀찮고 어렵다는 이유로 하나라도 건너뛰거나 도중에 포기를 하게 된다면 결국 반쪽짜리 변화이거나 이전과 다를 것이 없게 될 것이다. 이전과 다른 삶을 살고 싶고 연애를 하고 싶다면 귀찮더라도 익숙해질 때까지는 꼭 계속 도전해보았으면 한다. 여기서 만약 이들이 모두 익숙해진다면 내가 추가로 더 시도해보는 것을 추천했던 것들도 해보는 것이다. 더 나아가 가벼운 메이크업정도까지 시도해볼 수 있게 된다면 정말 높은 확률로 잘생겼다는 평가를 받게 될 수도 있을 것이다. 이렇게 외모를 어느 정도 가꾸었다면 마음에 드는 이성에게 다가갔을 때 외모에서 오는 거부감을 줄일 수 있고, 나아가 외모로 인해 호감을 산 상태로 관계를 시작할 수 있는 것이다.

4. 연애를 잘하는 방법

 연애를 잘하기 위해서는 마음에 드는 상대가 있을 때 무작정 다가가고, 무작정 표현해서는 안 된다. 무작정 다가가고 표현해서 되는 경우는 상대방도 나에게 이미 어느 정도의 호감이 있을 때일 것이다. 그렇기 때문에 평소 외모가 출중하고 성격이 좋아 가만히 있어도 이성이 호감을 가질 정도라면 큰 어려움 없이 연애를 잘 할 수 있겠지만 대부분의 사람들은 그렇지 않은 환경에 있다. 결국 내가 마음에 드는 이성이 나에게 큰 관심이 없을 때 어떻게 관계를 시작하고 어떻게 다가가느냐가 굉장히 중요해질 수 있는데 여기서 내가 말하는 연애를 잘하는 방법은 노력하고 잘하자 같은 무책임하고 두루뭉술한 방법이 아니다. 이성에게 나의 매력을 보여주고 관심을 계속 갖게 하기 위해서는 시작이 중요하기 때문에 상대와의 관계를 어떤 식으로 시작하는 게 유리할지부터 그 관계를 더 가까워지게 만드는 과정, 마지막으로 연인관계로 발전해 잘 유지할 수 있는 방법까지 순서대로 하나씩 짚어볼 것이다. 여기서 내가 제시하고 싶은 키워드는 크게 두 가지가 있다.

- 전략을 짜자
(사랑은 가슴으로 하는 것이지만
연애는 머리로 해야한다.)

이 책의 제목처럼 연애에도 전략이 필요하다. 마음에 드는 이성이 있을 때 어떤 이미지로 보일지, 어떤 말을 해서 상대방의 관심을 끌지, 약속을 잡을 땐 어떤 장소에서 어떤 시간대에 만날지 처럼 무심코 지나칠 수 있는 상황들을 나에게 유리한 상황으로 만들고 주도할 수 있도록 해서 연애라는 것에 조금 더 현명하게 접근하는 것이다. 쉽게 말해 앞서 프롤로그에서 언급했던 것처럼 마음에 드는 이성이 있을 때 조금 더 현명하게 관계를 시작해 연애로 발전할 확률을 높이는 것이다. 프롤로그에서는 전략을 짜는 상황에 대해 모임으로 예를 들었었는데 그 예시를 조금 더 자세히 설명해 보고자 한다.

프롤로그에서는 상대방과 대화를 통해 친밀감을 쌓고 자연스럽게 만나는 사람이 있는지 확인하고, 없다면 이상형을 확인한 후에 상대방에게 어떤 이미지로 비춰지는 것이 좋을지 고려하여 충분한 시간을 들여 다가가는 식으로 간략하게 설명을 했다. 여기서 많은 사람들이 하는 실수는 상대방에게 호감이 있다 보니 처음 다가가는 것부터 상대방을 잠재적인 연애의 대상으로 대하며 다가가는 것이다. 이성을 짝사랑해본 경험이 있는 사람이라면 누구나 호감 가는 사람에게만 유난히 말을 하는 것이 더 어렵고, 굳어버리는 경험을 해본 적이 있을 것이다. 반대로 관심이 전혀 없는 이성에게는 너무 편하게 대할 수 있어서 오히려 그 이성이 나에게 호감을 갖는 경우가 있었을 수도 있을 것이다. 두 가지 상황 모두 '나'라는 사람은 똑같지만 관심이 있는 이성과 관심이 없는 이성을 다르게 대하게 되는 이유는 상대에게 잘 보이고자하는 마음 때문이라고 볼 수 있다. 관심이 없는 이성에게는 잘 보일 필요가 없다고 판단되니 편하게 대할 수 있게 되고, 편하기 때문에 나의 성격과 매력을 있는 그대로 보여줄 수 있게 되는데 반대로 관심이 있는 이성에게는 잘 보여야한다는 생각 탓에 말과 행동을 조심하게 되다가 오히려 불편해지고, 자신을 어필해야한다는 압박감 때문에 한마디 한마디가 어려워져 굳어버리는 것이다. 남성이든 여성이든 같이 있을 때 편한 사람을 더 선호하게 되는 것은 정말 당연한데 잘 보여야한다는 마음이 오히려 관계를 더 불편하게 만드는 것이다. 그렇기 때문에 나는 마음에 드는 이성에게 다가갈 때, 상대방을 잠재적인 연애의 대상으로 생각하고 대하는 것이 아니라 익숙해지고 가까워질 때까지는 전혀 관심이 없는 동성 친구처럼 대하며 다가가는 것을 추천하고 싶다. 예를 들어 마음에 드는 여성이 있는데 그 여성이 다른 남성과 대화를 하고 친해 보이는 것이 불편하게 느껴지거나 너무나도 신경이 쓰인다면 잘못 된 것인데, 그렇다고 해서 호감이 있는 이성을 동성 친구라고 생각하며 편하게 대하는 것이 말처럼 쉽지는 않을 것이다. 또, 곧바로 되지는 않겠지만 적어도 그렇게 해야 한다는 것을 인지하고 한 번씩이라도 시도해보다보면 조금씩 익숙해질 수 있을 것이다.

그런데 상대방을 동성친구처럼 편하게 대했을 때, 정말 상대방이 나를 친구로만 생각하고 이성의 감정을 전혀 느끼지 않으면 어떡하냐는 걱정을 할 수도 있을 것이다. 상대방과 충분히 가까워졌는데도 태도를 바꾸지 않고 상대방을 계속 친구처럼 편하게 대한다면 걱정하는 것처럼 상대방도 편함에 익숙해져 친구처럼 생각하게 될 수도 있을 것이다. 그러지 않기 위해서라도 친구처럼 편하게 다가가지만 적당한 긴장감이나 거리감을 유지할 수 있을 정도로만 다가가야 한다는 것이다. 그렇게 어느 정도 가까워졌다고 판단될 때쯤부터 상대방으로 하여금 나에게 관심이 있나? 라는 느낌을 줄 수 있도록 태도를 바꾸고, 친구 그 이상의 감정이 있을 때 할 수 있는 표현들을 조금씩 해주는 것이다. 이렇게 적당한 타이밍에 태도와 분위기를 바꾼다면 상대방도 당신을 마냥 친구로만 느끼지는 않을 것이다.

이제 다시 본론으로 돌아와 모임에서 마음에 드는 이성에게 내가 말한 것처럼 편하게 대하며 다가갔다면 상대방도 당신을 편하게 대할 것이기 때문에 큰 어려움 없이 가까워질 수 있을 것이다. 이때 앞서 말한 것처럼 태도를 바꾸어 상대방이 당신의 호감을 느끼게 해야 하는데 그전에 상대방이 만나는 사람이 있는지 확인을 하는 것이 우선일 것이다. 상대방과 충분히 가까워졌다면 웬만한 질문을 해도 이상하게 생각하지 않고 대답을 해줄 테니 정말 아무렇지 않게 상대방에게 남자친구는 있느냐는 식으로 질문을 해도 좋다. 만약 그게 어렵다면 "이렇게 모임하면 남자도 많은데 남자친구가 안 싫어해요?"라거나 "주말에는 뭐해요? 남자친구 만나요?"라는 식으로 살짝 돌려서 질문을 해도 괜찮을 것이다. 만약 상대방에게 남자친구가 있다면 "크게 신경 안 써요"라거나 "남자친구가 바빠서 자주 못 만나요"라는 식으로 남자친구가 있다는 것을 전제로 하며 대답을 하겠지만 남자친구가 없다면 남자친구가 없다는 대답을 해올 것이다. 남자친구가 있는지 없는지를 아무렇지 않게 일상대화를 하듯이 확인하는 것이다. 이런 식의 질문은 꼭 모임이라는 환경이 아니어도, 남자친구가 있는지 없는지 확인할 때가 아니더라도 다양하게 응용할 수 있을 것이다. 만나는 사람이 없다는 것을 확인했다면 이제 상대방이 어떤 이상형을 가지고 있는지를 확인해야하는데 20대 초반까지는 외모를 중요하게 생각하다보니 이상형을 물을 때 외모에 대한 이상형을 비롯해 정확하게 대답을 하는 경우가 많은데 20대 중반이후부터는 이상형이 있기는 하지만 성격을 더 중요하게 생각하는 경우가 많기 때문에 모호하게 대답하는 경우가 많을 것이다.

예를들어 이상형을 물었을 때 어떤 사람은 "그냥 착하고 잘 맞는 사람이 좋아요"라고 대답하는 사람도 있을 것이고, 또 어떤 사람은 조금 더 디테일하게 "저는 키가 크면 좋겠고, 얼굴은 조금 시크하게 생겼는데 재미있는 사람이 좋아요"라는 식으로 디테일하게 대답을 할 수도 있을 것이다. 전자처럼 두루뭉술하게 대답을 한다면 조금 더 자세히 말해달라고 말해 이상형에 대해 자세하게 들어볼 수도 있겠지만, 그보다 중요한 점은 상대방이 무엇을 중요시하고 무엇을 싫어하는지를 알 수 있는 키워드에 집중하는 것이다. 전자에 경우엔 두루뭉술하게 대답했기 때문에 얻을 것이 없어 보이지만 착하고 잘 맞는 사람이 좋아요라는 대답에서 상대가 무엇을 중요시하는지를 알 수 있다. 외모에 대한 언급을 하지 않으며 착하고 잘 맞는 사람이 좋다고 말했기 때문에 상대는 외모보다는 성격을 더 중요하게 생각하고 자신과 잘 맞는 사람을 선호한다는 것이다. 만약 여기서 상대방에게 이상형에 대해 더 자세히 말해달라고 말한다면 어떤 외모를 선호하는지나 어떤 성격을 좋아하는지를 자세히 말해주겠지만 이 정도의 정보로도 상대방의 이상형은 무엇인지, 어떤 것을 중요하게 생각하는지를 알 수 있는 것이다. 만약 전자나 후자처럼 자신이 선호하는 스타일에 대해서 설명을 해주는 것이 아니라 이상형이 딱히 없다거나 애매하게 말해서 얻을 만한 정보를 주지 않았을 땐 어떻게 해야 할까? 예를 들어 상대방이 "음, 이상형은 딱히 없는 것 같아요"라고 대답한다면 더 자세히 말해달라고 하더라도 돌아오는 대답은 크게 도움이 되지 않을 것이다. 딱히 이상형이 없다는 것은 외모든 성격이든 특히 선호하는 것은 없고 자신이 끌리면 만나겠다는 것과 같은데 이럴 때는 이상형을 묻기보다는 어떤 사람을 싫어하는지, 어떤 말과 행동들을 싫어하는지를 묻는 게 더 도움이 될 것이다. 이상형이 딱히 없는 사람도 싫은 것은 꼭 있기 마련이니 어떤 사람을 만나고 싶지 않은지를 확인하고, 상대방이 싫어하는 행동이나 말을 하지 않도록 주의하는 것이다.

상대방의 이상형을 확인했다면 이제는 상대방에게 어떤 이미지로 비춰지는 것이 좋을지 방향성이 잡힐 것이다. 가장 좋은 것은 내가 상대방의 이상형과 비슷해 나의 모습 그대로 다가갈 수 있거나, 조금 다르더라도 어려움 없이 맞춰갈 수 있는 상황일 것이다. 하지만 상대방의 이상형과 내가 다르거나 상대 앞에서 나를 보여줄 기회가 없다면 어떻게 해야 할까? 그럴 때 나는 모임의 특성을 이용하는 것을 추천한다. 모임처럼 사람이 모이는 집단의 경우엔 그 집단에서 영향력이 있거나 평판이 좋은 사람을 더 긍정적으로 생각하는 경향이 있다. 그렇다보니 직장 내에서 나이차이가 한참 나는 사람에게 호감을 갖게 되는 경우도 있고, 외모만 봤을 땐 전혀 어울리지 않아 보이는 커플이 있기도 한 것이다. 그러니 상대방과 가까운 특정 모임원이나 아니면 모임원 전체에게 상대방이 원하는 이상형과 가까운 이미지로 보이도록 의도적으로 이미지를 만드는 것이다. 꼭 상대방이 원하는 이상형과 가까운 이미지를 만드는 것이 아니더라도 영향력이나 긍정적인 이미지를 갖게 된다면 분명 도움이 되기 때문에 이를 이용하는 것도 좋다. 상대방과 불편함 없이 가까워지고, 상대방의 이상형이 무엇인지 파악해 상대방의 이상형과 가까운 이미지를 만들어 상대방에게 다가간다면 무작정 다가갈 때보다는 더 높은 확률을 가져 이전과는 다른 결과를 기대할 수도 있을 것이다.

이번에는 모임이라는 특정한 상황으로 예를 들어 보았지만 모임처럼 특정한 상황이 아니더라도 사소한 것부터 중요한 것까지 전략을 가지고 행동할 수 있는 상황들은 정말 많다. 언제든 전략을 가지고 행동해 상황을 조금 더 나에게 유리하게 만드는 것이다. 예를들어 마음에 드는 이성과 연락처를 교환하고 연락을 하다가 처음으로 단 둘이 만날 약속을 잡는다고 가정해보자. 언제, 어디서 만나며, 무엇을 할지가 고민될 것이다. 여기서 아무 생각 없이 약속을 잡는다면 첫 만남에 오후 2시에 만나서 카페를 갔다가 영화를 보는 계획을 짤 수도 있을 것이다. 혹은 대부분이 그러듯 6시쯤 만나서 저녁을 먹고 카페를 갔다가 막차시간 쯤 헤어질 수도 있을 것이다. 겉으로 봤을 땐 전혀 문제가 없는 평범한 계획처럼 보일 수 있지만 나는 그다지 좋은 계획은 아니라고 말하고 싶다. 우선, 첫 만남에 영화를 보는 것은 정말 좋지 않은 생각이다. 첫 만남에는 대화를 많이 할 수 있는 환경이 필요한데 영화를 보게 된다면 대화를 할 수가 없기도 하지만 서로에 대한 좋은 기억을 만드는데 크게 도움이 되지 않기 때문에 더 가까워지고 서로를 더 알아갈 기회를 놓치는 것과 다름이 없다. 후자 같은 경우에도 이미 서로 충분히 가깝고 편한 관계라면 크게 문제가 없지만 만약 아직 서로를 잘 모르는 관계이거나 처음 만난 상황이라면 6시부터 막차시간인 11시까지 대략 5시간 정도가 정말 힘들어질 수도 있을 것이다. 상대방의 입장에서는 처음 만난 사람과 밥을 먹는 것이 부담스러울 수도 있고, 무엇보다도 정적인 상태로 상대방과 5시간에 가까운 시간동안 대화를 해야 한다는 것인데 아무리 쿵짝이 잘 맞더라도 5시간동안 앉아서 대화만 한다는 것은 쉬운 일이 아니기 때문이다. 식당에 가서 음식을 먹는 시간과 이동하는 시간, 카페에서 음료를 마시는 시간을 최대한 넉넉하게 잡아 3시간을 빼더라도 2시간은 대화만 해야 하는 상황이기 때문에 서로 정말 잘 맞지 않는 이상 대부분은 그 시간이 어느 순간부터 루즈해지고 불편해질 수도 있을 것이다. 그렇기 때문에 나였다면 약속을 잡을 때부터 조금 더 전략적으로 생각해 계획을 짰을 것이다. 보통은 일찍부터 만나거나 저녁시간 때쯤 만나는 것을 선호하는 경우가 많은데 나는 일찍도, 저녁시간대도 아닌 7시나 8시쯤 만나 막차 쯤 헤어질 수 있도록 약속을 잡았을 것이다. 첫 만남에 2시간이나 3시간정도만 만나고 헤어지는 건데 서로를 알아가기에 2~3시간은 충분한 시간이고, 시간이 길지 않기 때문에 혹시나 할 말이 없어져 루즈해질 걱정도 없으며 정말 다행히도 2~3시간이 짧다고 느껴질 정도로 서로가 잘 맞는다면 오히려 여운을 남길 수도 있기 때문이다.

만나서도 식사를 하고 카페를 가는 코스를 생각하기보다는 당신이 성인이라면 술을 마시는 것을 추천한다. 밥을 먹거나 카페를 간다면 밥이나 음료라는 매개 외에는 오로지 서로에게만 집중하게 되는데 보통 밥집이나 카페는 조명이나 분위기가 밝은 편이고 조용한 경우가 많다보니 첫 만남에는 이런 분위기 탓에 더 어색하게 느껴질 수도 있기 때문이다. 하지만 술을 마신다면 대부분의 술집은 분위기가 어두운편이고 적당히 시끄럽기도 한데다, 혹시나 처음엔 다소 어색하더라도 술을 마시며 대화를 하다보면 취기가 올라 조금씩 풀어져 대화를 하는 게 더 편해져 밥집이나 카페에 있을 때보다 더 빠르게 가까워 질 수도 있을 것이다. 하지만 첫 만남에 술을 마시자고 했다가 이상하게 보면 어떡하느냐고 걱정인 사람도 있을 텐데 첫 만남에 술을 마시자고 해서 이상하게 보는 사람은 거의 없다고 말하고 싶다. 오히려 이상하게 보기는커녕 첫 만남에 불편하고 어색한 밥집보다는 술집을 선호하는 사람이 더 많을 것이다. 그럼에도 첫 만남에 술을 마시자고 말하는 것이 어렵다면 처음엔 가볍게 맥주정도로 시작하는 것을 추천한다. 보통 소주는 술을 마신다는 느낌이 강하지만 맥주는 가볍게 음료를 마시는 느낌이 강하기 때문에 거부감이 덜 할 수 있고, 치킨에 맥주를 싫어하는 사람은 드물기 때문에 "가볍게 치맥어때요?"라는 식으로 얘기를 한다면 치킨이나 맥주를 정말 정말 싫어하는 경우가 아니라면 대부분은 좋다고 대답할 것이다. 이렇게 치킨에 맥주를 가볍게 한잔했다면 이미 술을 마셨기 때문에 2차로 제대로 된 술집을 가자는 제안을 하는 것도 자연스러워 수월할 것이고, 상대방도 거부감을 전혀 느끼지 않을 것이다. 쉽게 말해 시작은 밥겸 술을 마실 수 있는 치맥으로 한 후에 2차로 자연스럽게 술집에서 술을 마실 수 있도록 주도하는 것이다. 이렇게 술을 마시며 대화를 한다면 약속시간부터 막차시간까지의 2~3시간이 그다지 길게 느껴지지는 않을 것이다. 혹시나 이 2~3시간이 불편하고 서로가 잘 맞지 않았다면 더 불편해지기전에 적당한 시간에 헤어진 것이지만, 2~3시간이 부족할 정도로 서로가 잘 맞았다면 상대방에게도 여운이 남아 다음 약속을 잡는 것이 분명 수월해질 것이다.

이 외에도 전략에 대한 예시들은 정말 많다. 연애에도 전략이 필요하다는 것이 어떤 뜻인지 정확히 이해하고, 다양한 상황에 맞게 응용할 수 있도록 몇 가지 예시들을 더 들어 볼텐데 그 예시에서 어떤 전략이 있는지 생각해보고 도움이 될 만한 것들은 한 번 더 생각해보며 읽는 것을 추천한다. 이번에는 연애를 하고 있다는 상황으로 가정해 몇 가지 예시를 들어볼 것이다. 만약 본인이 연애를 할 때 마다 금방 질린다는 이유로 차이거나, 권태기가 일찍 찾아와 헤어지는 일이 잦은 편이라면 이 예시들이 분명히 도움이 될 것이다. 권태기가 일찍 찾아오거나 금방 싫증이 나는 이유는 다양하겠지만 거의 대부분은 절제를 하지 못해서 인 경우가 많다. 전화를 너무 자주 긴 시간동안 하거나, 너무 자주 만나거나, 표현을 너무 남발하거나, 선물을 무작정 많이 하거나, 스킨십을 너무 자주 하는 등 이들의 공통점은 절제하며 적당히 하면 더 좋을 것들을 너무 쉽게 자주 한다는 것인데 표현이든 만남이든 스킨십이든 너무 자주하다보니 익숙해지고, 당연해져 권태감을 느끼게 되는 것이다. 만약 본인도 연애를 할 때마다 금방 헤어지게 되는데 이 중에 한 가지라도 해당하는 것이 있다면 그동안 이런 이유로 헤어지게 됐을 수도 있다는 것이다.

그렇다면 어떻게 하는 것이 좋을까? 그게 무엇이든 상대방이 아쉬움이 남을 정도로만 적당히 해보는 것이다. 예를 들어 이전엔 전화를 할 때마다 1시간이나 그 이상씩 했다고 생각해 보자. 처음엔 설레는 감정이 있으니 할 말이 많고 그 1시간이 짧게 느껴졌겠지만 어느 순간부터는 할 말이 없어 대화의 공백도 늘어나고 전화가 귀찮아질 수도 있을 것이다. 거기다 전화를 할 때마다 1시간 이상씩 시간이 들어간다는 인식이 들어버린다면 전화를 받는 것이 꺼려지기도 하고 부담스러울 수도 있을 것이다. 그렇기 때문에 나는 전화를 자주 하는 것 자체는 좋지만 상대방이 부담스럽지 않도록 10~15분으로 아쉬울 정도로만 짧게 하거나 길게 하더라도 그 빈도를 줄이는 것을 추천한다. 여기서 중요한 것은 전화를 끊을 땐, 상대방이 끊자고 할 때까지 기다리는 것이 아니라 주도권을 내가 가져올 수 있도록 내가 먼저 끊는 것이다. 상대방이 말하고 있든 내가 말하고 있든 "나 이제 끊어야 할 것 같아"라고 말하며 끊어도 괜찮고 "나 화장실 다녀와야겠어 나중에 다시 전화할까?"라는 식으로 이유를 만들어 전화를 먼저 끊어도 괜찮다. 하지만 막상 전화를 하고 있다면 전화를 먼저 끊는 것이 아쉬워서든, 상대방이 서운해할까 걱정이 되어서 든 전화를 먼저 끊는 것이 어려울 수도 있을 것이다. 하지만 그 정도로는 절대로 서운해 하지 않으니 걱정하지 않아도 괜찮다. 혹시나 전화를 먼저 끊었다는 이유로 서운해 하거나 관계가 멀어질 것이라면 다른 어떤 이유에서든 상대방은 서운해 할 것이고 결국엔 멀어질 수밖에 없는 관계일 것이다. 그러니 걱정하지 말고 전화를 먼저 끊어 절제하고, 사소한 것이라 하더라도 주도권을 가져오는 것이다. 만약 절제를 하고 적당히 표현을 하는 것이 어렵다면 스스로의 가이드라인을 만드는 것도 좋은 방법이 될 수 있을 것이다. 예를 들어 이전에는 매일매일 좋아한다는 말을 해줬다면 이제는 일주일에 한두 번 수준으로 줄인다는 가이드라인을 정한다거나 이전에는 스킨십을 사귀자마자 하게 되었다면 이제는 사귄지 30일이 되기 전까지는 절대로 스킨십을 먼저 하지 않도록 절제하는 식으로 스스로의 약속과 가이드라인을 만들어 지키면서 상대방이 표현과 스킨십을 질려하지 않도록 조절하는 것이다.

표현을 하고 선물을 할 때도 마찬가지다. 예를 들어 이전엔 아무 때나 무작정 선물을 줬다면 이제는 상대방에게 선물을 줄만한 명분이 있을 때 선물을 하는 것이다. "이번에 ~~해줘서 고마워 그래서 이걸 사 와봤어"라는 식으로 상대방에게 선물을 할 만한 명분이 있을 때만 내가 왜 선물을 주는지 설명을 하고 주는 것이다. 쉽게 말해 의미 없이 10번의 선물을 줄 바엔 의미를 부여하며 3번의 선물을 주는 게 더 낫다는 것이다. 표현을 할 때도 이전에는 아무 때나 좋아한다, 예쁘다, 보고싶다 라는 식으로 표현을 했다면 횟수를 절반정도로 줄이고, 좋아한다는 표현도 막연히 좋아한다고만 표현하는 것이 아니라 "기분이 좋을 때마다 방방 뛰는게 너무 사랑스러워서 너가 좋아"라는 식으로 횟수는 줄이더라도 한 번 표현할 때 상대방에게 빗대어 조금 더 와닿게 하는 것이다. 보고 싶다는 말을 할 때도 "지나가다가 본 카페가 너무 분위기가 좋아서 너가 생각났어"라는 식으로 표현해 그냥 보고 싶은 게 아니라 보고 싶은 이유를 만들어 더 와닿게 하는 것이다. 이렇게 했을 때 똑같은 표현이라도 더 진심이 담겨있다고 느껴질 수 있을 것이다. 물론, 오랜 기간 만났고 이미 충분히 깊은 관계라면 표현을 얼마나 자주하든, 선물을 얼마나 자주하든 크게 문제가 되지는 않을 것이다. 하지만 연애 초기 같은 경우엔 처음 한두 번은 선물과 표현에 감동을 받고 상대방도 좋아하겠지만 반복이 된다면 점점 익숙해지고 당연하게 생각돼 큰 감흥을 받지 못하게 된다. 감흥이 없다면 자극이 없으니 금방 싫증나게 되는 원인이 될 수도 있을 것이다.

마지막으로 연애를 하고 있을 때, 상대방이 나에게 해줬으면 하거나 하지 않았으면 하는 것들이 있을 수 있을 것이다. 그럴 때 상대방에게 직접 하나하나 말해도 괜찮겠지만 직접적으로 말하기가 어렵거나 속이 좁아 보일까봐 말하기가 애매한 것들도 있을 수 있을 것이다. 그럴 때는 제 3자를 말하는 것처럼 자신이 어떤 사람인지, 어떤 것을 싫어하고 어떤 것을 좋아하는지 상대방에게 자연스럽게 얘기하는 것도 좋은 방법이다. 예를 들어 데이트를 할 때마다 일방적으로 본인이 결제를 하고 있는 상황이라고 생각해보자. 좋아하는 마음으로 결제를 하고 있으니 아깝지는 않지만 상대방이 사주는 밥을 먹어 보고 싶기도 할 것이다. 그럴 때 상대방에게 "이번엔 너가 계산해줄래?"라거나 "너도 가끔은 나한테 사주면 좋겠어"라고 말해도 좋지만 이렇게 말하는 것이 어렵다면 "나는 무조건 남자가 결제해야한다고 생각하는 사람은 싫더라"라고 말할 수 있는 것이다. 그런데 여기서 중요한 점은 이런 말을 하는 상황이 계산을 해야 하는 상황이거나 본인이 계산을 한 직후라면 오히려 더 속이 좁아 보일 수 있을 것이다. 그렇기 때문에 이런 말을 할 때는 계산을 해야 하는 상황과는 전혀 상관없는 상황에서 해야 하는데 가령 기분 좋게 산책을 할 때도 좋은 타이밍이라고 할 수 있다. 말을 꺼낼 때도 뜬금없이 말을 하는 것이 아니라 상대방에게 "너는 연애를 할 때 어떤 사람이 싫어?"라는 식으로 묻고, 상대방의 대답을 들어준 후에 상대방이 되물을 때 자연스럽게 말하는 것이다. 그럼 상대방이 당신을 존중해준다면 이 말을 기억해뒀다가 자신이 먼저 결제를 하는 모습을 보이려 할 것이다. 꼭 상대방에게 원하는 것이나 하지 않았으면 하는 것 말고도 상대방에게 보이고 싶은 이미지를 인위적으로 만들 수도 있을 것이다. 예를 들어 연애 초기에 상대방에게 단호할 땐 단호하고 이성에게 철벽인 사람으로 보일 수 있다면 연애를 하는 동안 굉장히 편하고 신뢰가 두터워질 수 있을 것이다. 그럴 땐 "나는 나랑 안 맞는다고 생각하는 사람은 아예 가까이 안하는 편이야 그래서 내 지인들은 내가 칼같데"라거나 "나는 바람을 피는 사람이 너무 싫어서 연애를 할 땐 다른 여자는 거들떠도 안봐"라는 식으로 보이고 싶은 이미지에 대해 몇 차례 반복해서 언급을 한다면 상대방은 자신도 모르게 당신이 정말 그런 사람이라고 믿게 될 것이다. 물론, 저렇게 말해놓고 그렇지 못한 모습을 보인다면 그 신뢰는 금방 깨질 수 있으니 자신이 지킬 수 있는 선에서 말하는 것이 좋을 것이다.

지금까지 연애를 시작하기 전이나 시작한 후에도 왜 전략이 필요한지, 전략이라는 것이 어떤 것인지 말해보았다. 내가 전략이라며 말한 몇 가지 예시를 보고서 "이게 뭐야 특별할건 없는데?"라고 생각할 수도 있을 것이다. 사실 특별한 것이 없는 것은 맞다. 지금까지 내가 말한 것들은 이성을 꼬시기 위한 100% 확실한 필살기 같은 것들이 아닌, 이성의 관심과 마음을 얻기 위해 더 현명하게 다가가 확률을 높이는 방법들이기 때문에 특별한 것이 없다고 느껴질 수도 있을 것이다. 하지만 지금까지 내가 말했던 것들의 요점을 확실하게 파악하고 응용할 수 있다면 마음에 드는 이성을 만났을 때 상대방이 당신을 대하는 태도와 관계는 분명 이전과 다를 것이다. 현실에서는 매번 모든 상황이 똑같을 수도 없고, 그대로 따라 하기가 어려울 수밖에 없을 것이다. 그러니 예시들을 똑같이 따라 한다고 생각하기보다는 전략을 갖는다는 것이 어떤 것인지 이해하고 참고하여 응용한다고 생각하기를 바란다. 마지막으로 어떤 상황에서 어떤 전략과 생각을 가지고 상대방에게 다가가든 여유를 가지고 천천히 다가가야 한다는 점을 강조하고 싶다.

- 여유를 갖자

연애를 잘하기 위해 전략을 갖는 것만큼 여유를 갖는 것도 정말 중요하다. 여유는 꼭 연애가 아니어도 인간관계나 일상에서도 꾕장히 중요한데 여유가 있고 없고에 따라 똑같은 말과 행동을 해도 듣는 사람의 입장에서는 다르게 느껴질 수 있다. 이런 여유는 보통 경험에서 오는 경우가 많은데, 연애가 아니더라도 누구나 자신이 여러 차례 겪어본 일이라면 자연스럽게 여유가 생기게 된다. 예를 들어 남성 같은 경우엔 게임을 굉장히 쉽게 접하게 되는데 FPS게임을 처음 했을 땐, 익숙하지 않으니 적을 마주하는 순간 긴장을 하게 되고 흥분을 하거나 실수를 하기도 한다. 하지만 여러 차례 그 FPS게임을 플레이하고 적을 만나는 상황이 익숙해지면 이후엔 처음과 다르게 적을 만나도 아무렇지 않고 정말 여유 있는 플레이를 하게 될 수 있는 것과 같은 맥락이다. 그렇기 때문에 나는 여유를 갖기 위해 연애 경험을 많이 쌓는 것이 중요하다는 것을 굉장히 자주 강조한다.

여유라는 것은 나 스스로가 느끼는 여유와 다른 사람이 나를 봤을 때 느껴지는 여유로 나눌 수 있다. 나 스스로가 느끼는 여유는 이성을 만날 때 어떤 마음가짐을 가지고 어떤 속도로 상대를 대해야할지, 상대방의 행동에 얼마나 영향을 받는지를 좌우하게 되는 내면의 여유이다. 이 내면의 여유가 있다면 상대방의 연락이 뜸하더라도 큰 영향을 받지 않을 수 있다거나, 상대방과의 관계에 진전이 더디더라도 급해지지 않을 수 있고, 집착이나 의심을 하지 않도록 여유 있는 마음가짐을 가질 수도 있을 것이다. 직접적으로 보이지는 않지만 여유가 없다면 내 스스로가 스트레스를 받게 되고 상대방을 대하는 태도에도 부정적인 영향을 미칠 수도 있다.

다른 사람이 나를 봤을 때 느껴지는 여유는 좀 더 직관적인데 상대방과 대화를 하면서 얼마나 더 재치 있게 대답을 하는지, 얼마나 더 자연스럽게 상대를 대하는 지로 느낄 수 있는 겉으로 보이는 여유라고 할 수 있다.

연애프로그램으로 유명한 하트시그널의 한 장면을 예로 든다면 한 여성 출연자가 남성 출연자에게 머리를 묶는 게 나은지 푼 게 나은지를 묻는다. 둘 중 어떤 게 더 나은지 묻는, 일상에서 굉장히 흔하게 경험할 수 있는 질문이다. 여기서 대부분은 둘 중 더 낫다고 느끼는 것을 골라 대답을 할 것이다. 혹은 정말 경험도, 여유도 없는 사람이라면 이 질문에도 당황해 어떻게 대답하는 게 좋을지 난처해할 수도 있을 것이다. 이에 남성 출연자는 오늘은 묶었으면 좋겠다. 라고 대답하며 곧바로 어제는 푼 게 예뻤다고 덧붙인다. 여성 연예인 패널들은 이 모습을 보고서 여자가 좋아하고, 원하는 것을 다 보여줬다며 감탄하기도 한다. 정말 아무것도 아닌 대답처럼 느낄 수도 있지만 자세히 들여다보면 남성 출연자는 질문을 던진 여성 출연자가 원하는 대답을 제대로 했다고 볼 수 있다. 어떤 게 더 나은지 묻는 질문에 보통은 이성적인 판단을 통해 둘 중 더 나은 하나를 고르며 질문에 대한 대답을 내놓으려 한다. 하지만 남성 출연자는 어제는 머리를 푼 게 예뻤고, 묶은 것도 당연히 예쁠테니 오늘은 묶었으면 좋겠다며 이성적인 판단을 통해 질문에 대한 대답을 내놓으려는 것이 아니라 상대방의 감정에 공감을 해주고 둘 다 예쁘다는 것을 굉장히 부드럽게 표현하며 상대방이 원하는 대답을 해준 것이다. 물론, 그렇다고 해서 둘 중 하나를 골라 대답을 해주는 것이 잘못 된 대답인 것은 아니다. 그보다는 남성 출연자처럼 대답하는 것이 상대를 조금 더 여유 있게 대하고, 재치 있게 말해 강렬한 인상을 남길 수 있는 대답이라는 것이다. 이 남성 출연자는 그래서인지 방송 내내 여유 있고, 알 수 없는 매력이 있는 성격을 가진 것으로 평가받는데 이런 여유들이 이 남성 출연자를 특별하게 만들 수 있었다고 볼 수 있다. 결국, 다른 사람이 나를 봤을 때 느껴지는 여유는 겉으로 보이는 나의 말투, 행동, 제스처에서 묻어나오는 여유인 것이다.

내면의 여유가 있더라도 막상 상대방을 직접 만났을 땐 긴장을 해서 겉으로 보이는 여유가 없어 보일 수도 있고, 상대방을 만나 같이 있을 땐 굉장히 편하고 여유있는 모습을 보이지만 막상 상대방과 같이 있지 않을 땐 생각이 너무 많아져서 걱정을 하게 되고, 의심을 하게 되는 내면의 여유가 없는 상황이 있을 수도 있다. 그렇기 때문에 연애에 있어서 내면의 여유도, 겉으로 보이는 여유도 모두 굉장히 중요하다고 볼 수 있다. 보통 내면의 여유는 스스로 마인드 컨트롤을 하며 훈련할 수 있고, 겉으로 보이는 여유는 경험을 통해서 갖게 되는 경우가 많은데 내면의 여유를 먼저 갖게 된다면 겉으로 보이는 여유도 비교적 쉽게 가질 수 있다. 앞서 언급한 것처럼 경험이라는 것도 결국 연애를 직간접적으로라도 겪어봐야 쌓을 수 있는 것이다 보니, 이 책을 읽고 여유를 갖는다는 것이 얼마나 중요한지 머리로는 이해하더라도 변수가 많은 실전에서는 여유 있는 사람이 되기는 쉽지 않을 수 있을 것이다. 그렇기때문에 여기서는 내면의 여유를 갖기 위해 필요한 것들을 먼저 말해볼 것이다.

내면의 여유를 갖기 위해 첫 번째로 가장 중요한 것은 이성을 볼 때 '이 사람이 아니어도 된다.' 라는 마인드를 갖는 것이라고 말하고 싶다. 연애를 어려워하는 사람들이 가장 많이 하는 실수이자 연애가 어려워지는 큰 원인 중 하나는 '꼭 이 사람이어야 한다.' 라는 마인드를 갖는 것이다. 사람들은 누구나 이성에게 마음이 생기면 자연스럽게 꼭 그 사람을 만나야하는 이유를 만들기 마련이다. 그렇다보니 상대방과의 관계를 그 무엇보다 중요하게 생각하게 되고, 어쩌다 관계가 이어진다면 그 관계를 유지하기 위해 무리를 하다 평소엔 하지 않을 실수들을 하기도 할 것이다. 무엇이든 적당하다면 괜찮겠지만 여기서 감정이 더 깊어지거나 과해진다면 상대방의 연락에 집착을 하게 되고, 말이나 행동 하나하나에 생각이 많아지면서 여유를 잃게 되기도 할 것이다. 결과적으로는 이런 행동들이 여유가 없어 보이게 만들고, 상대방이 나를 쉽게 여기게 만드는 것이다. 꼭 여유를 갖지 않더라도, 조급해하지 않을 수만 있다면 그 관계에서 마이너스가 될 이유는 없을 것이다. 하지만 여유를 갖게 된다면 그 관계에서 우위를 선점하고, 내가 원하는 대로 분위기를 끌고 갈 수도 있을 것이다. 그렇기 때문에 나는 이성을 만날 때 상대가 누구든 '꼭 이 사람이 아니어도 된다.' 라는 마인드를 갖는 것을 강조하는 것이다.

꼭 이 사람이 아니어도 된다는 것은 쉽게 말해 이 사람이 아니어도 다른 사람을 만나면 되기 때문에 이 관계에 너무 많은 마음과 시간을 쏟지 말자는 것이다. 만약 이번에 만나게 될 상대방이 무조건 결혼을 해야 하는 상대이고, 인생의 마지막 이성이라면 꼭 이 사람이어야 한다는 생각이 당연할 수밖에 없겠지만 세상이 종말하거나 재벌가의 정략결혼이 아니라면 꼭 그 사람이어야 하는 이유는 없다. 하물며 본인이 30~40대의 돌싱이라 하더라도 새로운 기회가 제한적이고 상대적으로 어려울 수는 있지만 절대 새로운 기회가 없지는 않을 것이다. 우리에게는 언제든 새로운 사람을 만날 기회가 있기 때문에 한 사람, 한 관계에 집착하지 말고 여유를 가져야한다. 꼭 이 사람이 아니어도 된다는 마인드를 갖게 된다면 이성을 만났을 때 연락에 집착하지 않을 수 있고, 말과 행동을 할 때 혹시나 실수를 하지 않을까 노심초사하지 않을 수 있다. 여유가 생기면 자기 자신을 온전히 더 보여주고 자신의 매력을 충분히 어필할 수도 있을 것이다. 그러니 이 사람이 아니어도 언제든 다른 사람을 만날 수 있다는 생각을 가지고 계속 마인드 컨트롤을 하며 여유 있게 행동하자.

또, 연애를 하고 있는 중이든, 아직 연애를 하고 있지는 않지만 호감이 가는 사람이 있는 상황이든 여유를 갖기 위해서는 연애의 중심, 관계의 중심을 상대방이 아닌 나 자신으로 두어야한다고 말하고 싶다. 다시 말해 상대방에게 너무 집중하지 않도록 삶의 비중에 있어서 상대방의 비중을 낮출 수 있는 만큼 낮추어야 한다는 것이다. 상대방에게 쓰는 비중이 높아진다면 그만큼 상대방에게 집중하게 되고, 집착을 하게 되거나 여유를 잃어 상대방에게 끌려 다니게 될 수도 있을 것이다. 그렇기 때문에 그러지 않기 위해서는 삶의 비중의 전체가 100%라면 상대방의 비중을 50%를 넘지 않도록 만들어야 한다. 예를 들어 이전에는 일과 취미, 휴식 등을 모두 포함해 자신에게 40%를 쓰고, 상대방을 생각하고 상대방과 연락하고 상대방을 만나는 등 연애와 관련된 것들을 모두 포함해 상대방에게 60%의 비중을 썼다면 상대방에 대한 비중이 더 컸기 때문에 결국엔 문제가 생겼을 것이다. 그러지 않기 위해서는 시선을 돌릴 수 있는 다른 것을 만들어도 괜찮고 상대방을 조금 덜 만나거나, 상대방에게 덜 연락하거나, 상대방의 생각을 덜 하는 식으로 상대방에게 쓰는 비중을 낮추어서 상대방에게 쓰는 비중이 50%를 넘지 않도록 만드는 것도 좋은 방법이다. 상대방에게 쓰는 비중을 낮추어 연애의 중심을 상대방이 아닌 나 자신으로 잡고, 내가 필요할 때만 상대방에게 감정과 시간을 사용할 수 있게 만들어 여유가 생길 수 있도록 의도적으로 비중을 조절하는 것이다.

하지만 말처럼 여유를 갖는다는 것은 쉽지 않다. 스스로 마인드 컨트롤을 하는 것도 분명 도움은 되겠지만, 현실에선 아직 감정이 앞서다보니 그조차도 쉽게 되지는 않을 것이다. 그렇다면 어떻게 해야 이 사람이 아니어도 된다는 마인드를 갖고, 내면의 여유와 겉으로 보이는 여유를 가질 수 있을까? 여유를 갖는다는 것은 경험에 가장 큰 영향을 받기는 하지만 환경의 영향도 굉장히 크다. 예를들어서 아무리 경험이 많고 여유 있는 사람이었다고 하더라도 5년 동안 강제에 의해 연애를 하지 못한다면 다시 연애를 할 수 있게 됐을 때, 5년간 연애를 하지 못해 쌓이게 된 연애에 대한 갈망과 오랜만에 이성을 만난다는 긴장감은 그 사람을 이전처럼 여유 있는 사람이기는 어렵게 만들 것이다. 이해를 돕기 위해 다소 극단적인 예를 들었지만 현실에서도 이와 같은 상황은 빈번하게 확인할 수 있다. 굉장히 활발하고 여유 있던 여성이 남자친구를 사귀게 되면서 남자친구에게만 집중하게 되어 자신의 삶보다 남자친구를 우선시하게 되었고, 시간이 지나서는 여유를 잃고 남자친구에게 지나치게 의존하게 되며 이후엔 집착까지 하게 되는 경우도 있고, 이성에게 매력적으로 보이는 방법을 그 누구보다 잘 알고 자신감과 여유를 가지고 있던 남성이 군대를 다녀와서는 여유는커녕 이성 앞에서 굳어버리고 바보가 되는 경우도 있을 것이다. 이와 반대로 여자친구가 있지만 주변에 사람과 모임, 술자리가 너무 많아 여자친구를 대할 때 너무 여유가 있다 못해 소홀해지는 경우도 볼 수 있다. 결국, 환경적인 요인은 경험과 별개로 지대한 영향을 끼쳐 이성을 여유 있게 대할 수 있게 만들기도 하고, 여유가 없어지게 만들기도 한다는 것이다.

그렇다면 어떻게 해야 할까? 눈치가 빠르다면 어떻게 해야 할지 감이 잡히는 독자도 있을 것이다. 아무래도 혼자 있는 시간이 많다면 그만큼 상대방을 생각하는 시간이 많아 질 수 있기 때문에 상대방을 생각하는 시간이 많으면 많을수록 상대방에게 집중하고, 여유를 잃게 될 가능성이 높아진다. 그러지 않기 위해서 나를 중심으로 내 주변의 환경과 상황을 바꾸어 상대방에 대한 집중도를 낮추고 여유가 생길 수 있도록 만드는 것이다. 예를 들어서 이성이든 동성이든 상관없으니 새로운 사람을 만날 수 있는 활동이나 모임에 가입하거나, 새로운 일이나 취미를 만들어 해야할 일이 많아져 스스로를 바빠지게 만들거나, 언제든 새로운 이성을 만날 수 있는 기회에 자신을 지속적으로 노출 시키는 것이다. 새로운 사람을 계속 만나다보면 그만큼 시간과 감정을 새로운 사람에게 쏟고 새로운 사람을 만나는데 집중하게 된다. 그럼 연애 외적으로 시간을 더 쏟게 되고, 자연스럽게 상대방에 대한 집중도가 낮아져 그만큼 여유가 생길 수 있는 것이다. 정말 눈코 뜰 새 없이 바빠 본 경험이 있는 사람이라면 더욱 공감할 수 있을 것이다. 마지막으로 새로운 이성을 만날 수 있는 기회에 지속적으로 노출이 된다면 언제든 새로운 이성을 만날 수 있기 때문에 꼭 이 사람이 아니어도 된다는 생각도 자연스럽게 들게 되고 여유가 생기게 될 수 있을 것이다. 꼭 이 방법만 있는 것은 아니기 때문에 자신에게 더 잘 맞고 효과적인 방법을 찾아, 나 자신을 중심으로 두어 환경과 상황을 바꾸어 여유를 가질 수 있도록 만드는 것이라고 생각하면 좋을 것 같다. 자신에게 잘 맞는 방법을 찾아 내면의 여유를 유지하며 어느 정도 경험이 쌓이게 된다면 자연스럽게 겉으로 보이는 여유도 생겨 정말 여유 있고, 매력적인 사람으로 비추어질 수 있을 것이다.

-공감을 하자

남성과 여성은 신체적으로도 다르지만 생각하는 방식도 다르다. 그렇다보니 연애를 하는 방식도 다른 경우가 정말 많은데 그중에서도 공감 능력과 공감하는 방식의 차이는 다툼을 유발하기 가장 쉽고, 관계를 어렵게 만들기도 한다. 보통의 남성들은 상황이 있을 때, 이성적인 해결책을 먼저 내놓으려 하다 보니 공감하는 것을 굉장히 어려워한다. 이에 여성들은 자신이 원하는 것을 전혀 몰라주는 남성에게 답답함을 느끼고, 서운한 감정을 가지게 되기도 하는데 이런 상황이 한두 번으로 그친다면 아무 문제없이 지나칠 수 있지만 반복이 된다면 다툼이 일어나기도하고 서로 잘 맞지 않는다는 생각을 하게 만들 수도 있을 것이다. 비단, 연애를 하고 있는 상황이 아니라하더라도 공감을 하지 못하는 모습을 보인다면 호감을 가지고 있다가도 마음을 정리하게 되는 계기가 될 수도 있을 것이다. 그렇기 때문에 연애를 하는데 있어서 공감을 하는 것은 굉장히 중요하다고 볼 수 있는데 상담을 진행하다보면 생각보다 많은 사람들이 공감을 하는 것을 상당히 어려워하고, 감조차도 잡지 못하는 경우가 많다.

예를 들어 구두굽이 부러졌다며 여자친구에게 연락이 온다면 당신이라면 어떻게 대답을 할 것 같은가? 공감을 어려워하는 사람들은 이성적인 해결책을 먼저 내놓으려고 하는 경향이 있다 보니 구두는 얼마짜리인지 비싼 건 아닌지 묻거나, 수선은 할 수 있는지 어디서 할 수 있는지를 물어보며 가까운 수선집에서 수선을 하거나 새 구두를 구매하는 식의 해결책을 내놓으려할 것이다. 과연 상대방이 원했던 대답은 이러한 이성적인 해결책이 맞을까? 다 큰 성인이 정말 구두굽이 부러졌을 때 어떻게 대처해야할지 몰라서 연락을 했을까? 여자친구가 구두굽이 부러졌다며 연락을 할 때, 남자친구에게 원했던 것은 괜찮은지, 다치지는 않았는지, 어쩌다 그렇게 됐는지, 도움이 필요하지는 않은지 물어봐주며 걱정과 공감을 해주기를 원했을 것이다. 이성적인 해결책은 공감을 먼저 해준 뒤에 내놓아도 절대 늦지 않다. 또 다른 예로 한때 큰 사랑을 받았던 응답하라1994 드라마에서는 여성 출연자가 남성출연자들에게 "집에 페인트를 칠했는데 페인트 때문에 머리가 아파 그래서 창문을 열었더니 매연 때문에 머리가 아픈데 문을 열어야 할까? 닫아야할까?"라는 질문을 한다. 이에 남성출연자들은 "페인트 냄새가 더 나으니 닫아야한다."라거나 "매연이 차라리 나으니 열어야한다."라는 식으로 열어야할지 닫아야 할지에 대한 의논을 하며 해결책을 내놓으려고 한다. 당신이라면 어떻게 대답을 할 것 같은가? 남성출연자들이 고민을 하고 있을 때, 여성출연자는 그런 대답을 원하는 게 아니라며 아프지는 않은지 병원을 가야하는 건 아닌지 먼저 걱정해주는 것이 정답이라고 말한다. 상황이 있을 때, 여성들은 이성적인 해결책이 아닌 공감을 더 원한다는 것이다. 혹자는 공감을 먼저 해줬다가 상대방이 정말 해결책을 원하는 상황이었다면 어떡하느냐는 걱정을 하기도 할 것이다. 상대방이 정말 원하는 것이 공감인지, 해결책인지를 대화를 통해 먼저 구분할 수 있다면 가장 좋겠지만 꼭 구분을 하지 못하더라도 문제가 되지는 않는다. 만약 공감을 먼저 해주었는데 상대방이 정말 원했던 것이 해결책이라면 공감이 아닌 해결책이 필요하다고 상대방이 확실하게 말을 할 것이기 때문에 공감을 먼저 했다고 해서 손해를 볼 일은 없을 것이다. 그렇기 때문에 공감을 먼저 해주고, 그 뒤에 해결책을 내놓아도 절대로 늦지 않으니 기분을 알아주고, 공감을 먼저 해주는 것이다.

이렇게 두 가지 예를 들어보았는데, 예시를 봤을 땐 이해가 되는 것같이 느껴지고 어떻게 해야 할지 방향성이 잡히지만 막상 실전에서는 감이 잡히지 않고 헷갈릴 수도 있을 것이다. 아직 충분히 익숙하지 않기 때문에 실전에서는 헷갈리는 것이 정말 당연한 상황일 수밖에 없는데 공감을 하는 것이 익숙해지고 자연스러워지기 위해서는 경험도 분명 중요하지만 여러 가지 사례와 상황을 미리 연습해보는 것도 도움이 될 수 있다. 그렇기 때문에 이런 상황에서는 어떻게 공감을 해주고 어떻게 말하는 게 좋을까? 저런 상황에서는 어떻게 공감해주고 말하는 것이 좋을까를 계속 고민하며 연습을 해보는 것을 추천한다. 연습을 위해 한 가지 더 예를 들어보겠다. 여자친구에게서 전화가 와서는 업무 실수를 해서 직장에서 상사에게 혼났다며 속상해 한다면 당신은 어떻게 대답을 할 것인가? 잠시 생각을 해보자. 공감을 어려워하는 사람이라면 왜 혼났냐고 묻고 그 업무 실수가 혼날만한 실수였는지, 아닌지를 구분하려 할 수도 있을 것이다. 혹은 어떻게 하면 같은 실수를 하지 않을 수 있을지, 어떻게 하면 직장 상사에게 혼나지 않고 사랑받을 수 있을지 나름의 해결책을 내놓으려할 수도 있을 것이다. 혹은 어느 정도 공감을 할 수 있는 사람이라면 왜 혼났는지, 기분은 괜찮은지 묻고 그럴 수 있다며 자신도 그랬다고 공감을 해주려할 것이다. 더 나아가 공감을 하는 것이 능숙한 사람이라면 걱정과 공감에서 더 나아가 상대방이 좋아하는 음식을 사주면서 기분을 풀어주려 할 수도 있을 것이다. 또 다른 예시이다. 이번에는 조금 더 현실성 있게 대화를 하듯이 예시를 들어보겠다. 여자친구가 중요한 시험을 망쳤다며 슬퍼한다면 어떻게 말하는 것이 좋을까? 잠시 생각을 해보자. 공감이 어려운 사람이라면 "공부를 열심히 안해서 그래 이번에는 나도 도와줄 테니까 같이 공부하면서 다음 시험 때는 꼭 좋은 성적을 받자"라며 이성적인 해결책을 내놓으려 할 것이다. 상대방의 말을 들어주고 도와주겠다며 해결책을 내놓았으니 나쁜 대답은 아니다. 상대방도 서운해하거나 화를 내지는 않을 것이다. 하지만 여기서 공감을 잘할 수 있는 사람이라면 "공부 열심히 했는데 속상하겠다... 괜찮아? 뭐가 잘못돼서 시험을 망친거야?"라며 공감해주고, 상대방이 더 말할 수 있도록 질문을 하며 경청을 해줄 수 있을 것이다. 혹은, "괜찮아, 시험 한두 번은 망칠수도 있는 거지 너는 언제든 열심히 하니까 결국엔 될 거야 기분도 안 좋은데 떡볶이나 먹으러갈까?"라며 공감을 해주고, 위로를 해주면서 기분을 풀어줄 수도 있을 것이다.

이렇게 몇 가지 예시를 들어봤다. 이해가 되고 감이 잡히는 사람도 있을 것이고 이해는 되지만 또 비슷한 예시를 들면 어떻게 말을 해야 할지 아직 어려운 사람도 있을 것이다. 상황은 매번 다르기 때문에 몇 가지 예시로 완전히 준비를 하는 것은 어렵지만 공감을 한다는 것의 의미와 상대방이 원하는 대답의 맥락은 모두 비슷하기 때문에 비슷한 예시를 생각해보거나, 찾아서 연습해보는 것을 추천한다. 연습을 하다보면 이후에는 어떻게 말을 해야 할지 고민을 하지 않아도 자연스럽게 공감을 하게 되고 상대방의 감정을 헤아리는 것에도 도움이 될 것이다. 공감을 못한다면 앞서 말했던 것처럼 독이 되고 문제의 원인이 될 수 있지만, 공감을 잘한다면 관계에 도움이 되면서 한 가지의 매력으로도 활용할 수 있을 것이다.

- 대화를 잘하는 방법

연애를 어려워하는 사람들이 가장 많이 하는 고민은 이성과 있을 때 할 말이 없다는 것이다. 무슨 말을 해야 할지도 어렵고, 어떻게 대화를 이끌어 나가야 할지도 고민인 것이다. 그래서 대화 주제를 생각해 준비를 해보기도 하고, 멘트를 준비하기도 할 것이다. 하지만 이미 경험을 해본사람은 알겠지만 대화 주제를 미리 생각해가는 것도, 멘트를 준비하는 것도 실전에서는 전혀 도움이 되지 않는다. 멘트나 대화 주제를 준비하는 것이 큰 도움이 되지 않는 이유는 현실에서는 상황이나 분위기, 상대방의 성향에 따라 모든 게 다르며 또 급변하기 때문이다. 예를 들어 영화를 주제로 "영화 좋아하세요?" 라는 질문을 준비했다고 가정해보자. "영화 좋아하세요?" 라는 질문을 했을 때 "네, 좋아해요 최근에는 xxx이라는 영화를 봤어요 그쪽도 영화 좋아하세요?"라는 식으로 상대방도 적극적으로 대답해주고, 되물어준다면 대화도 잘 이어지고 더할 나위 없이 좋을 것이다. 하지만 "아뇨, 영화는 별로 안 좋아해요." 라고만 대답을 한다면 어떻게 할 것인가? 여기서 억지로 영화에 대한 질문을 한 번 더 해서 이어갈 수도 있겠지만 상대방은 영화에 그다지 흥미가 없으니 대화가 길게 이어지지는 않을 것이다. 이처럼 멘트나 대화 주제를 준비하더라도 상대방의 반응이 시큰둥할 수 있고 상황이나 분위기에 따라 준비해온 것들을 아예 써

먹어 보지도 못할 수도 있을 것이다. 무엇보다도 대화라는 것은 일방적으로 하는 것이 아니라 상호 간에 주고받는 것이기 때문에 대화 주제나 멘트를 준비해온다면 오히려 준비해온 대화 주제와 멘트를 써야 한다는 강박이 생겨 대화가 자연스럽게 이어진다기 보다는 어색하게, 불편하게 이어질 수도 있을 것이다. 그렇기 때문에 나는 '말'을 잘하는 방법이 아닌 '대화'를 잘하는 방법을 말해보고자 한다.

대화 주제를 준비하는 것도, 멘트를 준비하는 것도 도움이 되지 않는다면 어떻게 해야 할까? 대화 주제를 준비하고 멘트를 준비한다면 아주 일시적으로는 대화를 이어갈 수 있을 것이다. 하지만 정말 몇 마디 못 나누고 금방 할 말이 없어질 수 있기 때문에 대화 주제와 멘트를 준비하는 것이 아니라 상대방과의 대화를 통해서 할 말을 만들어야하는 것이다. 다시 말해 상대방과의 대화에서 상대방이 하는 말의 포인트를 가져와 대화의 주제로 활용을 해야 한다는 것인데 가령, 상대방에게 취미가 무엇이냐고 물었을 때 상대방의 대답을 듣고서 그대로 끝내는 것이 아니라 상대방의 대답에 호응해주고 대답을 기반으로 되물으며 대화를 계속 이어가는 것이다. 예를 들어 "퇴근하고는 주로 뭘 하세요?"라는 질문을 했을 때 상대방이 "요새는 다이어트하려고 헬스장 다니고 있어요"라고 대답을 할 수도 있을 것이다. 그럴 때 "아~ 그러시구나."라고 말해버린다면 대화가 이어지기는커녕 질문을 한 것 자체가 의미가 없을 것이다. 하지만 여기서 상대방이 대답한 '다이어트를 하기 위해 헬스장을 다닌다.'라는 말에서 우리는 수많은 대화 주제를 만들어낼 수 있다. 1차원적으로는 헬스장이라는 키워드에 주목해 운동이라는 주제로 대화를 이어갈 수도 있을 것이다. 여기서 더 나아가 이전에는 다른 운동을 해본 적은 없는지 물어보며 대화를 이어갈 수도 있고, 다이어트라는 키워드를 이용해 왜 다이어트를 하는지를 주제로 대화를 이어갈 수도 있을 것이다. 또는 어느 헬스장을 다니는지, 얼마나 됐는지, 운동은 혼자 하는지 PT를 받는지를 물어보며 새로운 대화 주제를 만들어낼 수도 있을 것이다. 여기서 중요한 점은 상대방이 무슨 대답을 하든 그 대답에 호응하고, 그 대답을 기반으로 새로운 질문을 하거나 본인의 생각을 말하며 말을 이어가는 것이다.

또 다른 예를 들어본다면 "무슨 음식을 제일 좋아하세요?"라는 질문을 상대방에게 했을 때 상대방은 "떡볶이를 제일 좋아해요."라는 식으로 자신이 가장 좋아하는 음식을 말하거나 "딱히 가리는 것 없이 다 좋아해요."라는 식으로 애매하게 대답을 할 수도 있을 것이다. 떡볶이를 제일 좋아한다는 대답처럼 확실한 대답은 어느 브랜드의 떡볶이를 좋아하는지 되물으며 대화를 이어갈 수도 있고, "밀떡 vs 쌀떡 하나, 둘, 셋"이라는 식으로 재치있게 양자택일 게임을 해버릴 수도 있을 것이다. 하지만 딱히 가리는 것 없이 다 좋아한다는 식으로 이렇다 할 대답이 없는 애매한 대답이라면 다소 당황스러울 수도 있을 텐데 이럴 때는 반대로 "그럼 제일 싫어하는 음식은 없어요?"라는 식으로 되물어도 괜찮고

"그 중에서도 조금 더 자주 땡기는 음식은 있지 않아요?" 라는 식으로 한 번 더 깊게 물어볼 수도 있을 것이다. 혹은, 가리는 것 없이 다 좋아한다고 대답했으니 "그럼 먹는 걸 좋아하겠네요?" 라고 얘기하며 맛집 같은 새로운 주제를 만들 수도 있을 것이다. 처음에는 익숙하지 않다보니 상대방의 말을 기반으로 새로운 대화 주제를 만들고 이어가려해도 머릿속이 새하얘지고 어떤 말로 이어가야할지 어려울 수도 있을 것이다. 하지만 내가 예시를 들어 주는 것처럼 질문과 대답을 직접 만들어보며 연습을 해보고, 꼭 이성이 아니어도 괜찮으니 다른 사람과 대화를 통해 직접 경험을 쌓으며 익숙해지도록 만든다면 깊게 생각하지 않아도 바로바로 어떤 말을 해야 할지 떠올라 이성과 대화를 할 때 어떤 말을 해야 할지 고민하게 되거나 대화가 이어지지 않아 어려움을 겪을 일은 없을 것이다.

정말 많은 사람들이 이런 식으로 대화를 이어가는 것에 익숙해지기 전까지는 처음 질문했던 주제로만 대화를 이어가려는 경향이 있는데 꼭 처음 질문했던 주제로 대화를 이어갈 필요는 없다. 예를 들어 "어제는 퇴근하고 뭐하셨어요?" 라고 질문을 했을 때 상대방이 "아무것도 안했어요." 라고 대답을 한다면 정말 난처할 것이다. 이전처럼 여기서도 새로운 말을 찾고 되물으며 이어가도 괜찮지만 대화가 더 이어질 여지가 없거나, 새로운 말을 찾기가 어렵다면 꼭 이 주제로 이어갈 필요는 없으니 "그러시구나 그럼 혹시 강아지는 좋아하세요?" 라는 식으로 상대방의 대답에 호응만

해주고 전혀 다른 질문을 통해 새로운 주제로 다시 대화를 시작해도 괜찮다는 것이다. 그런데 만약 아무리 새로운 말을 찾고, 질문하며, 이어가려고 노력해도 상대방이 계속 단답을 하거나 시큰둥해하며 할말이 없게 만든다면 대화는 이어지지 않을 것이다. 이런 상황은 당신이 무언가를 잘못했거나, 부족해서가 아니라 상대방이 당신에게 전혀 관심이 없거나, 당신과 상대방이 잘 맞지 않을 뿐인 것이다. 이럴 때는 억지로 대화를 이어가려하거나 그 관계를 끌고 가려하지 말고 맞지 않는다고 생각하고 관계를 놓는 것이 더 낫다. 어려운 관계를 끌고 가려고 시간과 감정을 낭비하는 것보다 잘 맞는 새로운 사람을 찾는 게 더 나을 수도 있기 때문이다.

대화를 잘 하는데 있어서 말 자체를 잘하는 것도, 잘 이어가는 것도 중요하지만 그 대화의 텐션도 굉장히 중요하다. 대화의 텐션이 높다면 사소한 것도 재미있게 느껴질 수 있고, 평범한 대화도 조금 더 웃기고 재미있는 대화로 만들어 줄 수 있다. 보통 이런 대화의 텐션은 대화를 하고 있는 구성원들이 얼마나 리액션을 잘하는지, 얼마나 재미있게 말하는지에도 영향을 받지만 목소리 톤에도 큰 영향을 받는다. 예를들어 진행을 잘하기로 유명한 유재석씨는 사석에서는 낮고 편한 목소리로 대화를 하지만 방송에서는 굉장히 높은 톤으로 방송을 진행한다. 다른 연예인들이 재미없는 말을 해도 높은 톤으로 제대로 호응을 해주니 재미있는 상황처럼 느껴지고 연예인, 일반인할 것 없이 다 같이 텐션이 올라간다. 예능프로그램을 자세히 본다면 예능프로그램에 출연하는 코미디언들도 꼭 말 한마디 한마디를 정말 웃기고 재미있게 한다기보다는 특유의 악센트나 높은 목소리 톤으로 분위기 자체를 띄워서 재미있는 상황을 연출하는 경우가 더 많다는 것을 알 수 있을 것이다. 시끄러운 곳에서 대화를 하면 상대방에게 잘 들리게 하기 위해 자신도 모르게 목소리가 커지는 것처럼 높은 톤으로 말한다면 다른 사람들도 전체적으로 목소리가 조금씩 커지고, 목소리가 커지면서 자연스럽게 대화의 텐션이 더 높아지는 것이다. 똑같은 말을 해도 어떤 사람이 하느냐에 따라 재미있게 혹은 재미없게 느껴지는 차이가 있는 이유도 이와 같은 이유인데 예를 들어 "요즘 일하는 건 어때요? 할만해요?"라는 질문에 "네 처음에는 정말 힘들었는데 이제는 좀 적응이 돼서 괜찮아요"라는 대답을 똑같이 했다고 하더라도 목소리 톤이 낮고, 기어들어가는 목소리로 말한다면 질문을 던진 상대도 그다지 흥미를 느끼지 못해 가벼운 안부정도로 대화가 끝날 수 있지만, 높은 톤으로 밝게 말한다면 긍정적인 이미지를 줄 수 있으면서도 질문을 던진 상대가 흥미를 느끼고 대화를 더 이어가보고 싶어 할 수도 있을 것이다. 쉽게 말해 목소리 톤에 따라 질문을 던진 상대가 느끼는 분위기와 돌아오는 대답이 다를 수 있다는 것이다. 결국 말을 재미있게 하는 것도 중요하지만 목소리 톤도 굉장히 중요하다는 것인데 평상시에 대화를 할때는 방송에서의 연예인들처럼 높은 톤으로 대화를 하기는 굉장히 부담스럽고, 원래의 목소리 톤에 익숙해져있기 때문에 단번에 톤을 바꾸는 것도 쉽지 않을 것이다. 목소리 톤을 습관적으로 높이는 것은 시간이 걸리는 일이니 조급해지지 말고 자신의 말투와 톤을 녹음하고, 유재석이나 다른 연예인들이 방송에서 어떤 톤으로 대화를 하는지 비교하며 들으면서 방송만큼이나 높은 톤이 아니어도 괜찮으니, 일상에서 사용했을 때 딱 적당하다고 느껴질 수 있는 톤이 자연스럽게 나올 수 있도록 연습하는 것이다. 혼자서도 연습을 해보고, 다른 사람들과 대화를 할 때도 연습한 톤으로 말해보는데 자신도 모르게 원래의 톤으로 대화를 하고 있다면 다시 가다듬고 높은 톤으로 말해보는 것을 반복한다면 어느 순간부터는 높은 톤으로 대화를 하는 것이 습관이 되어 있을 것이다.

대화의 텐션을 높이는데 있어서 목소리 톤과 마찬가지로 리액션(호응)도 굉장히 중요한데 리액션을 어떻게 하느냐에 따라 대화는 지루해질 수도 있고, 재미있어질 수도 있다. 리액션을 적절하게 잘한다면 대화의 텐션이 높아질 수 있고 상대방도 더 말하고 싶게끔 만들 수 있는데 리액션이라는 것은 상대방이 어떤 말을 했을 때, 내가 말을 더 많이 하려 하는 게 아니라 상대방의 말에 제스처와 표정으로 리액션을 해주고, 되물어주는 것이다. 예를 들어 상대방이 "요즘 너무 많이 먹어서 다이어트하려고 운동하고 있어요"라는 말을 한다면 운동을 한다는 것에 놀랐다는 표정과 제스처를 취하며 "와 정말요? 무슨 운동하세요?"라는식으로 리액션을 해주고 되물으면서 상대방이 더 말하기 좋게끔 만드는 것이다. 여기서 만약 미지근한 표정과 말투로 "무슨 운동하세요?"라는식으로 대답했다면 그다지 대화가 즐겁게 이어지지는 못했을 것이다. 다른 예로 상대방이 "어제 눈이 많이 와서 퇴근길에 넘어질 뻔했어요"라고 말을 했을 때 무미건조하게 "큰일날 뻔했네요"라는 식으로 대답하며 대화를 이어간다면 대화는 굉장히 정적이고 그다지 즐거운 대화가 되지 못할 수도 있을 것이다. 그런데 여기서 조금 더 상기 된 목소리에 제스처를 취하며 "와 정말 큰일날 뻔했네요 괜찮아요? 안 다쳤어요?"라고 리액션을 해준 뒤 상대방이 더 말할 수 있게끔 되물어준다면 대화는 조금 더 즐겁고 높은 텐션을 유지하면서 이어가기도 좋을 것이다. 이런 리액션은 목소리 톤과도 굉장히 연관이 깊은데 리액션을 할땐 평소보다 조금 더 높은 톤, 리액션에 적절한 톤으로 반응해주고 더 나아가 표정과 제스처를 상황에 맞게 취해주는 것이다.

여성과 대화를 할 때 정말 많은 남성들이 그 대화를 즐겁게 만들고, 어색함을 없애기 위해 노력한다. 말을 무작정 많이 하기도하고, 재미있는 말을 하려하기도하고, 자신이 대화를 리드하기위해 끝없는 질문을 하기도 하는데 사실, 그다지 좋은 방법들은 아니기 때문에 다른 방법을 추천하고 싶다. 여성과 대화를 할 때 만족할만한 대화를 하기위해서는 내가 말을 많이 하는 게 아니라 상대방이 말을 많이 하게 만드는 것이 더 좋다. 외국의 언어학자에 의하면 남성이 하루 말하는 단어량이 여성의 3분의 1이라는 연구결과가 있을 만큼, 개인차는 분명 있겠지만 여성은 남성보다 말하는 것을 더 좋아한다. 남성들이 말이 많이 필요 없는 PC방이나 당구장 같은 곳을 선호할 때, 여성들은 카페나 맛집처럼 오랜 시간 편하게 대화를 하기 좋은 곳을 선호하는 것도 이와 같은 이유이다. 때문에 대화를 했을 때 여성은 자신이 말을 더 많이 한 경우에 더 큰 만족감을 느끼게 되는데 이런 상황에서 굳이 내가 더 많이 말을 하려하는 것은 힘들기도 하지만 그다지 효과적인 방법도 아니라는 것이다. 그러니 대화를 더 즐겁게 만들고, 좋은 기억을 심어주고 싶다면 여유를 갖고 상대방이 더 말을 많이 하도록 유도만 하는 것이다. 여기서 정말 중요한 것은 앞서 언급했던 목소리 톤과 리액션 그리고 되묻기인데 높은 목소리 톤으로 대화하며 리액션을 해주고 되물어 상대방이 계속 말하게 하는 것이다. 예를 들어 내가 먼저 상대방에게 "취미가 뭐에요?"라는 질문을 했다면 상대방은 "딱히 취미는 없는 것 같아요"라거나 "요즘은 드라마를 많이 보는 것 같아요"라는 식으로 대답을 할 수 있을 것이다. 여기서 만약 상대방의 대답에 "취미가 없으시구나 저는 요즘 운동하는게 취미에요"라고 대답을 하거나 "저도 드라마 많이 봐요 최근에 나온 xxx이 정말 재미있더라고요"라는 식으로 대답을 한다면 상대방이 더 말을 많이하는 것이 아니라 내가 더 말을 많이 하게 되는 상황이 되고, 상대방은 기껏해야 "아~ 그러시구나" 정도의 대답밖에 할 수 없을 것이다. 그렇기 때문에 그보다는 상대방이 "딱히 취미는 없는 것 같아요"라고 대답했을 때 "왜 취미가 없어요? 그럼 평소에 뭐해요?"라고 높은 목소리 톤을 기반으로 의아하다는 듯한 표정과 제스처를 취하며 리액션을 해주고 그럼 평소에 뭘 하느냐고 되물으며 상대방이 다시 자신이 평소에 뭘 하는지 대답하게 하는 것이다. 그렇다고 대화를 하는 내내 질문만을 할 수는 없으니 나에 대한 얘기나 나의 생각을 섞어주는데 그러면서도 상대방이 더 말할 수 있도록 하는 것이다. 마찬가지로 상대방이 "요즘은 드라마를 많이 보는 것 같아요"라는 대답을 했을 땐 "와 저도 요새 드라마 많이 보는데! 어떤 드라마 보세요?"라고 드라마를 보는 것에 대해 공감대가 형성됐으니 반갑다는 표정과 제스처를 취하고 어떤 드라마를 보는지 되물으며 다시 상대방이 말하도록 만드는 것이다. 만약 상대방이 "요즘 오징어게임을 보고 있는데 진짜 재밌더라구요"라고 대답을 한다면 "오~! 뭘 좀 아시네요 저도 오징어게임 봤는데 진짜 재밌어요 어디까지 보셨어요?"라는 식으로 상기된 목소리로 리액션을 해주고 다시 되물으며 대화 자체는 내가 리드하지만 상대보다 말을 많이 하기보다는 적당히 말하며 상대방이 자신의 생각을 더 많이 말하도록 만드는 것이다. 상대방이 더 많은 말을 했다면 앞서 말한 것처럼 여성들은 자신이 더 많은 말을 했을 때 더 큰 만족감을 느끼기 때문에 당신과 했던 대화를 재미있고 좋은 기억으로 남길 것이다. 나 또한 이런 대화 방식으로 처음 본 여성과 대화를 나누어도 원래 친한 사이였던 것같다는 말을 듣거나 정말 편하다는 말을 자주 듣는다.

마지막으로 그럼에도 무슨 말을 해야 할지 고민하게 되고 어렵다고 느껴지는 독자가 있다면 대화를 할 때, 꼭 유의미한 주제로만 대화를 할 필요는 없다고 말하고 싶다. 꼭 말 한마디 한마디를 의미 있는 질문을 하고, 쓸모가 있는 말을 주고 받아야한다는 생각을 가지고 있는 사람들이 대화를 더 어려워하기도 하는데, 쉽게 말해 아무 의미 없는 아무 말을 해도 괜찮다는 것이다. 보통은 처음 본 사람과 대화를 한다면 대부분은 나이는 몇 살인지, 어디에 사는지, 어떤 일을 하는지 처럼 서로의 대한 호구 조사를 하며 대화를 틀 것이다. 그러면서 공통점이 있다면 공통점을 찾으면서 대화가 재미있어 질 수 있도록 노력할 텐데 꼭 이렇게 유의미한 주제로 대화를 이어가야만 하는 것은 아니라는 것이다. 예를 들어 대부분의 여성은 남성보다 키가 작은 편인데 상대방이 나와 키 차이가 많이 난다면 "키가 작은 건 어떤 느낌이야? 아래 공기는 더 신선해?"라는 식으로 장난 섞인 말투로 농담을 하며 대화를 이어갈 수도 있고, "내가 손이 좀 작은편이야"라고 하면서 상대방에게 손바닥을 내밀면 상대방도 손을 대보는 제스처를 취할 텐데, 그때 상대방의 손을 잡으면서 "그래서 내가 손금을 잘봐"라고 하면서 상대방의 손금을 보는 행동을 보이는 것이다. 손이 작은 것과 손금을 잘 보는 것은 전혀 연관이 없지만 대화를 이어가는데 있어서는 전혀 지장이 없고, 오히려 재미있다는 느낌을 줄 수 있을 것이다. 두 가지 예시 모두 정말 쓸데없는, 실없는 말처럼 보일 수 있지만 상대방에게는 오히려 재미있다는 느낌을 줄 수 있고 이후에 대화를 이어가기도 더 편해질 수 있는 것처럼 꼭 의미있고, 중요한 주제로 대화를 할 필요는 없으니 대화의 부담감을 내려놓았으면 한다.

이번 장에서 말했던 것들은 습관처럼 할 수 있어야하는 것 들이 다보니 단번에 되는 것도, 쉽게 되는 것도 아니지만 계속 연습하고 다른 사람과 대화를 할 때 마다 신경을 써준다면 점점 익숙해지면서 시간이 지나 습관이 될 수 있을 것이다. 이렇게 대화를 할 때 높은 톤으로 대화를 하는 것이 습관이 되고 다른 사람이 말할 때 적절하게 호응하며 되묻는 것이 익숙해진다면 당신과 대화를 하는 사람들은 모두 그 대화가 즐겁다고 느끼고 이내 당신이 재미있는 사람이라고 생각하게 될 것이다.

– 나쁜남자? 착한남자?

우리는 여러 매체에서 '착한 남자는 매력이 없다'라는 말을 흔히 들을 수 있다. 그러면서 반대로 '나쁜 남자가 정말 매력 있다'라는 말을 같이 듣게 되는데 이 때문에 많은 남성들이 도대체 여자들은 왜 잘해주지도 않는 나쁜 남자에게 매력을 느끼는지, 어떤 게 나쁜 남자인지 이해가 되지 않아 고민에 빠지기도 한다. 그런데 막상 여성들에게 이상형을 물으면 대부분의 여성들은 착한 남자가 좋다는 대답을 하기도 하는데 이런 상황 때문에 착한 남자가 되어야할지 나쁜 남자가 되어야할지 더더욱 헷갈리고 어렵기도 했을 것이다. 때문에 혹자는 여성들이 변덕스러워서 이렇게 헷갈리게 만드는 것이라고 생각하거나 혹은, 사실은 나쁜 남자가 좋으면서 가식을 부리기 위해 착한 남자가 좋다고 거짓말을 한다고 생각할 수도 있을 것이다. 하지만 가식을 부리는 것도, 변덕을 부리는 것도 아니다.

사실, 여성들은 조금만 꾸밀줄 알아도 수많은 남자들에게 대시를 받고는 한다. 꼭 번화가의 술집을 가거나 하지 않아도 일상에서도 남성들에게 대시를 받고, 대우를 받는 경우가 많다는 것이다. 그렇다보니 남성들이 다가오는 상황에 굉장히 익숙해지게 되고, 여유가 생기게 돼서 더 이상 평범하고 주변에서 쉽게 볼 수 있는 비슷한 남성에게는 흥미가 생기지 않는 것이다. 그렇기 때문에 여기서 우리가 주목해야할 포인트는 '착한 남자', '나쁜 남자' 라는 타이틀에서 오는 의미의 차이가 아니라 여성이 봤을 때 실질적으로 착한 남자와 나쁜 남자가 어떤 차이가 있느냐이다. 여성들의 관점에서 봤을 때 착한 남자와 나쁜 남자의 차이는 말 그대로 착하고, 나쁘고의 문제가 아니라 얼마나 매력적인가 인 것이다. 착한 남자들은 대부분 연애 경험이 적거나 자신의 매력이 정확히 무엇인지 모르는 경우가 많다. 그렇다보니 자신의 매력이나 강점을 가지고 어필을 하기보다는 상대의 눈치를 보거나 무작정 잘해주기만 하는 경우가 많은데 여성의 입장에서는 자신을 좋아해주고 잘해주는 것이 고맙기는 하지만 이미 이전부터 비슷한 남성들에게서 여러 차례 경험해본 익숙한 일 일수밖에 없을 것이다. 그렇다보니 자신에게 무작정 잘해주는 착한 남자가 특별히 더 재미있다거나 매력적으로 느껴지기보다는 딱히 매력적이지도, 흥미롭지도 않은, 언제든 대체할 수 있는 흔한 남자로 느껴지는 것이다.

그런데 여성들이 매력적이라고 말하는 나쁜 남자들은 자신의 강점과 매력이 무엇인지 너무나도 잘 알다보니 착한 남자처럼 무작정 잘해주거나 뻔하게 행동하는 것이 아니라, 자기 자신을 더 우선시하고 여유롭게 행동하며 필요할 때 마다 자신의 강점과 매력을 적절하게 활용해 어필하는 것이다. 여성들의 입장에서는 이런 나쁜 남자가 착한 남자와는 다르게 뻔하게 느껴지지 않고 신선하게 느껴져 매력을 느끼는 것이다. 신선하고 매력적이니 그 관계가 재미있게 느껴지고 자연스럽게 더 끌리게 되는 것인데 결국, 여성들은 말처럼 정말 착한 남자가 착하기 때문에 매력을 느끼지 못하고 나쁜 남자가 정말 나빠서 매력을 느끼는 건 아니라는 것이다. 사실은 신선함을 줄 수 있고 재미와 매력을 느낄 수 있는 남자를 원하는 것인데 단지, 나쁜 남자로 보이는 남성들이 대체로 착한 남자에 비해 더 매력적이고 자신의 강점을 잘 어필할 줄 알았을 뿐이었던 것이다. 그렇기 때문에 착하더라도 자신의 강점을 잘 알고 매력적으로 보일 수 있다면 착한 남자이든 나쁜 남자이든 전혀 중요하지 않으니, 착한 남자가 되어야 할지 나쁜 남자가 되어야할지 고민할 것이 아니라 나의 강점은 무엇이고 어떻게 해야 매력적으로 보일 수 있을지를 고민하는 것이 더 나을 수 있다는 것이다.

- 자기 객관화를 하자

연애는 상황에 따라 다른 태도를 가져야 하는데 크게 본다면 두 가지로 나뉜다고 볼 수 있다. 이성에게 자신을 어필하고 이성과 연애를 시작하기까지의 과정과 연애를 시작하고 나서 그 관계를 트러블 없이 이어가는 것이다. 쉽게 말해서 연애를 시작하기 전과 시작하고나서로 나뉜다는 것인데 자기 객관화는 연애를 시작하는 데 있어서 굉장히 중요하다고 말하고 싶다. 자기 객관화의 의미는 나를 제3자의 시선으로, 객관적으로 바라본다는 것인데 가령 나에게 부족한 것이 무엇인지, 내가 무엇을 잘하는지, 다른 사람들이 나를 어떻게 보는지를 나의 주관을 넣어 보는 것이 아니라 타인의 관점에서 보는 것이다. 정말 많은 사람들이 '나 정도는 괜찮지'라거나 '내가 쟤보다는 낫지'라는 생각을 하며 안주해 버리는 경우가 많은데 이는 자기 객관화가 잘 되지 않은 예라고 볼 수 있다. 자기 객관화가 잘 되지 않으면 현재의 자신으로도 충분하다고 생각하게 되어 부족한데도 부족함을 인지하지 못해 더 나은 모습으로 성장하지 못하게 되는 것이다. 반대로 자기 객관화가 잘되는 사람들은 스스로에게 어떤 문제가 있고 무엇이 부족한지를 정확하게 파악할 수 있기 때문에 현재의 모습에 안주하기보다는 부족한 점이 있다면 개선해 계속해서 성장할 수 있는 것이다.

예를 들어 평소 외모에 관심이 많아 피부관리와 체중관리를 열심히 해 잘생겼다는 말을 자주 듣지만 말을 다소 가볍게 하는 것이 단점이 되는 사람이 있다고 가정해 보자. 주변 사람들에게 잘생겼다는 말을 듣는 것에 만족해 그 정도에 안주할 수도 있겠지만 자기 객관화를 통해 자신에게 무엇이 부족한지 스스로 찾으려고 노력한다면 자신이 말을 가볍게 한다는 것이 단점이라는 것을 파악할 수 있게 되고 단점의 개선을 통해 더 매력적인 사람으로 성장할 수 있는 것이다. 의지는 있지만 자기 객관화가 안 돼서 무엇을 개선해야 하는지를 모르는 경우엔 주변 지인들이 객관적으로 무엇이 부족한지 알려주거나, 스스로 찾으려 노력하면서 개선될 수도 있기 때문에 그나마 다행이라고 볼 수 있을 것이다. 하지만 자기 객관화가 잘 되지도 않는데 게으르거나 의지력이 약한 경우엔 정말 최악이라고 볼 수 있다. 자신에게 무엇이 부족한지 찾으려 하지도 않고 혹여나 알게 되더라도 개선의 의지가 약해 부족한 채로 살아가는 것이다. 사실, 연애가 어려운 사람들 중 정말 많은 사람들이 여기에 해당한다고 볼 수도 있는데 예를 들어 살집이 있어 평소 매력적인 외모라고 보기가 어려운 사람이 자기 객관화가 잘 되지 않아 '나 정도면 나쁘지 않지'라는 생각을 가지고 있다고 생각해 보자. 어떤 계기로 살집이 있는 것이 치명적인 단점이 되어 매력적인 외모로 보이지 않고 있다는 것을 깨달아 다이어트를 해야 한다는 것을 알았는데도 갖가지 이유를 대며 미루기만 하는 것이다. 또 다른 예로 말을 너무 빠르게 하는 것이 문제인 사람이 있다고 생각해 보자. 자기 객관화가 잘된다면 자신이 말하는 속도가 얼마나 빠른지, 어떻게 말하는 것이 잘 들리고 전달력이 좋은지 다른 사람과의 대화를 통해 파악하고 개선할 수 있겠지만. 자기 객관화가 안 되는 사람은 말하기만 바쁘니 자신이 말하는 속도가 얼마나 빠르고 전달력이 낮은 지를 파악하지 못하는 것이다. 그런데 어떤 계기로 자신이 말하는 속도가 너무나도 빠르고, 빨라서 전달력이 좋지 않다는 것을 알아도 자신의 습관을 이길 만큼의 의지력이 없어 이내 잊고 살아가는 것이다. 처음부터 잘난 사람은 없다. 부족한 점이 있다면 그것을 조금씩 개선하다 보면 그것이 쌓여 점점 매력적인 사람이 되는 것인데 자기 객관화도 안되는데 게으르기까지 한 사람은 부족한 채로 살아가게 되니 그것만큼 안타까운 것도 없는 것이다.

그렇다면 어떻게 해야 자기 객관화를 잘할 수 있을까? 자기 객관화를 잘하는 방법은 정말 많다. 그중에서도 가장 쉬운 것은 지인의 도움을 받는 것이다. 자기 객관화라는 것은 자신을 제3자의 관점에서 바라보는 것인데 지인의 관점 자체가 제3자의 시점이니 지인의 도움만큼 쉬운 방법은 없을 것이다. 그러니 지인에게 나의 대한 솔직한 평가를 요청하고, 혹여나 단점이나 기분이 나쁠만한 평가를 듣더라도 기분 나빠하거나 불편해하지 말고 겸허하게 받아들여 그 문제들을 개선하는 것이다. 지인에게 도움을 받는 것이 가장 쉬운 방법이기는 하지만 혹여나 지인들조차도 나와 보는 눈이 비슷해 나의 단점을 찾지 못하거나, 지인들이 솔직하게 말해주지 않아 도움을 받기가 어려운 상황이라면 자기 객관화를 스스로 해야 할 수밖에 없을 것이다. 이럴 때는 이 글을 쓰고 있는 나도 자주 쓰는 방법인데 나보다 더 잘난 사람과 나를 비교하며 단점을 찾는 것이다. 내가 아무리 공부를 잘하더라도 나보다 더 공부를 잘하는 사람은 널렸을 것이고, 내가 아무리 몸이 좋아도 나보다 몸이 좋은 사람은 널렸을 것이다. 마찬가지로 내가 잘생기고 예뻐도 나보다 더 잘난 사람은 있을 수밖에 없을 것이기 때문에 이보다 좋은 방법은 없을 것이다. 예를 들어 평소 자신의 외모에 만족을 하고 있다면 자신의 외모에 단점이 있어도 그것이 눈에 들어오지는 않을 것이다. 그런데 우연히 자신의 외모보다 월등히 나은 사람과 마주치게 되면 그때 자신이 그 사람보다 부족하다는 것을 깨달으며 무엇이 부족한지 알게 될 수도 있을 것이다. 혹은 TV나 인터넷 매체에는 정말 매력적인 외모와 성격을 가진 사람이 많이 나오는데 자신과 비슷한 이미지를 가졌거나, 자신이 원하는 이미지를 가진 사람과 자신을 비교하며 나에게 부족한 것이 무엇인지 찾아 개선하는 것이다. 예를 들어 인터넷 개인 방송에서 자신과 비슷한 이미지를 가진 것 같은데 그 사람은 매력적이라는 말을 듣지만 자신은 듣지 못한다면 그 사람과 자신의 차이가 무엇인지 하나씩 하나씩 비교를 하며 자신에게 부족한 점을 찾는 것이다. 가령 헤어스타일은 나와 어떻게 다른지, 피부는 어떤 차이가 있는지, 옷을 입는 스타일이나 체형에는 어떤 차이가 있는지를 비교하는 것이다. 외모에 경우 '잘생겼다'라는 큰 틀만을 가지고 비교하는 것이 아니라 세부적으로 파고 들어가는 것이다. 자기 객관화를 잘하게 된다면 외모뿐만 아니라 성격이나 말투 등 이성에게 매력적으로 보이기 위해 중요한 부분들을 개선하는데 큰 도움이 될 것이다.

- 흥미로운 사람이 되자

나는 가끔 연애 상대는 고양이와 같다는 표현을 쓴다. 상담을 진행하다 보면 내담자의 이해를 돕기 위해 많은 설명과 비유를 하기도 하는데 연애 상대를 표현할 때, 이보다 더 정확한 표현도 없는 것 같다. 고양이의 관심을 끌 때를 생각해보자. 간혹 있는 개냥이를 제외하고 보통의 고양이들은 대개 우리에게 무관심하다. 오히려 귀찮아하기도 하는데 자신이 좋아하는 장난감을 앞에서 흔들면 흥미를 갖고 달려든다. 그러다가도 장난감이 너무 쉽게 손에 잡히거나 반대로 너무 터무니없이 빠르게 흔들거나 손에 닿기에 너무 먼 거리에 있다면 이내 흥미를 잃고는 자리를 떠버린다. 우리의 연애는 어떠한가? 서로 마음이 맞아 호감을 느끼고, 마음을 표현하다가도 갑자기 상대방은 싫증이 났다며 떠나버린다. 반대로 쉽게 싫증이 날까봐 표현을 아끼면 상대방은 좋아하는 마음이 느껴지지 않는다며 떠난다. 왜 이런 일이 일어날까?

고양이로 비유했던 것과 우리의 연애를 비교해보자. 너무 쉽게 손에 잡혀서 흥미를 잃었던 것은, 너무 빠르게 마음을 표현하고 너무 쉽게 가까워져서 흥미를 잃게 되었다고 볼 수 있다. 장난감을 터무니없이 빠르게 흔들거나, 손에 닿기에 너무 먼 거리에 있어서 흥미를 잃었다는 것은 너무 표현을 하지 않거나 마음을 숨겨서 상대방 또한 마음이 더 커지지 않아 흥미를 잃고 떠난 것이라고 볼 수 있을 것이다. 결국 내가 비유한 고양이나, 연애 상대의 공통점은 흥미를 가졌다가 금방 흥미를 잃었다는 것에 있다. 때문에 나는 연애를 잘하기 위해서는 조금 더 흥미로운 사람이 될 필요가 있다고 말하고 싶다. 그렇다면 더 흥미로운 사람이 되기 위해서는 무엇을 해야할까? 근본적으로 본다면 흥미로운 사람이 된다는 것은 상대방의 궁금증을 자아내고, 확고한 개성을 가지는 것이라고 말할 수도 있을 것이다. 예를 들어 주변에서 쉽게 접할 수 없는 직업을 가져도 흥미로운 사람이 될 수 있고, 특이한 취미나 생활 패턴을 가지는 것처럼 특별한 라이프 스타일로 상대방의 궁금증을 자극할 수도 있고, 개성 있고 흥미로운 패션스타일을 보여줄 수도 있을 것이다. 혹은 정말 확고한 가치관으로 사람 자체가 흥미로운 사람이 될 수도 있을 것이다. 이렇게 누가봐도 흥미로운 사람이 되기 위해 주변 환경이나 성격을 바꾸는 것은 인간관계에서든, 연애에서든 도움이 되는 것은 분명할 것이다. 하지만 흥미로운 사람이 되기 위해 직장을 옮기거나, 평소 추구하던 패션 스타일을 단번에 뒤집는다거나 타고난 성격과 라이프스타일을 바꾼다는 것은 누군가에게는 아예 불가능한 일일 수 있고, 그게 아니더라도 어려움이 있을 수 밖에 없는 일일 것이다. 때문에 나는 이번 장에서 흥미로운 사람이 되기 위해 누구나 할 수 있는 가장 쉬운 방법을 제시해주고자 한다.

앞서 예시를 들었던 부분으로 다시 돌아가 보자. 고양이와 연애 상대라는 두 예시에는 흥미라는 공통적인 요소가 있으면서, 한편으로는 너무 빨리 가까워져도 흥미를 잃고, 너무 멀리 있어도 흥미를 잃는다는 공통점이 있었다. 다시 말해 너무 쉬운 사람이 되어도 상대방이 흥미를 잃는 이유가 될 수 있고, 너무 어려운 사람이 되어도 흥미를 잃는 이유가 될 수 있다는 것이다. 그렇다, 눈치가 빠른 사람이라면 이미 감을 잡았을 것이다. 흥미로운 사람이 될 수 있는 가장 쉬운 방법은 상대방에게 닿을 듯 닿지 않을 듯 적당한 완급조절을 하는 것이다. 내가 먼저 상대방에게 다가간 상황이든, 상대방이 먼저 나에게 다가온 상황이든 마찬가지이다. 상대방이 먼저 나에게 관심을 갖고 다가왔다 하더라도 깊은 사랑에 빠진 것이 아니라 말그대로 관심 정도의 깊이이기 때문에 당신에게 흥미가 떨어지거나, 치명적인 단점이 보인다면 상대방은 언제든지 관심을 접고, 발을 뺄 수 있을 것이다. 때문에 상대방의 관심에 너무나도 신난 나머지 완급조절 없이 무작정 그 마음을 받아주고, 마음을 표현한다면 상대방은 우여곡절도 없는 이 쉬운 관계에 금방 흥미를 잃어버릴 것이다.

우리는 적당한 완급조절을 통해 상대방이 당신과의 관계가 너무 쉽고, 순탄하다고 느끼는 것이 아니라. 어려움이 있고, 우여곡절이 있었으나 우리는 가까워지고 있다는 감정을 느끼도록 만들어야

한다. 그렇다면 구체적으로 어떻게 해야 할까? 대부분 연애를 어려워하는, 연애 경험이 적은 사람들은 일방적으로 마음이 있거나, 상대방과 마음이 맞다면 그 마음을 표현하고 쏟아내기에 바쁘다. 처음에는 상대방에게 마음을 보여주기 위해서라도 마음을 표현하는 것은 필수일 것이다. 하지만 어느정도 상대방에게 마음이 전달되었거나, 상대방도 같은 마음이라는 것을 확인했다면 그때부터는 완급조절이 필요한 상황이 되는 것이다. 주의해야할 점은 여기서 내가 말하는 완급조절은 밀당과는 다르다는 점이다. 밀당을 위해서는 적당히 밀어내는 행동이 필요한데, 완급조절은 밀어내는 것이 아니라 덜 표현하는 것에 가깝기 때문이다. 예를들어 만난지 한 달정도가 된 상황에서 이전에는 매일 같이 좋아한다는 표현을 했다면 완급조절을 위해서 굳이 밀어내는 것이 아니라 좋아한다는 표현을 잠시 아껴두면서 적당한 거리감을 두는 것이다. 상대방의 입장에서는 당신이 한 달간 매일 같이 좋아한다는 표현을 하고, 굉장히 적극적이었다면 점점 안정감을 느끼기도 하고, 한편으로는 당연함을 느끼기도 했을 것이다. 그런데 그랬던 사람이 갑자기 표현을 줄이고 이전보다 소극적인 모습을 보인다면 언제 그랬냐는 듯이 다시 긴장감을 느끼면서 당연해서 루즈해질 수 있었던 관계에 더 집중하게 되는 것이다.

꼭 내가 예시를 든 것처럼 한 달간 매일 좋아한다는 표현을 하다가 표현을 줄이는 방식일 필요는 없다. 중요한 포인트는 관계가

루즈해지지 않도록, 상대방이 흥미를 잃지 않도록 다시 긴장감을
느낄 수 있도록 이전에는 당연하다 느낄 수 있었던 것들이 당연
하지 않을 수 있다는 것을 보여줘야 한다는 것이다.

5. 이성을 만날 수 있는 경로

 앞서 1장에서 말한 것처럼 연애를 아예 해본 적이 없는 사람들 중 정말 많은 사람들이 대학교 도서관에서 우연히 부딪힌 이성과 첫눈에 반하고, 성격이 너무 잘 맞아 결국 연애까지 한다는 식의 가만히 있어도 언젠간 영화나 드라마처럼 운명적인 만남으로 이성을 만나고, 그 사람과 진정한 사랑을 할 수도 있다고 믿기도 한다. 하지만 연애를 몇 번이라도 해본 사람들은 영화나 드라마처럼 운명적인 만남을 하는 것이 현실에서는 극히 드문 일이라는 것을 안다.

물론, 어딜가나 주목받고 호불호가 갈리지 않을 정도의 외모라면 영화나 드라마처럼 가만히 있어도 새로운 사람이 엮이고, 먼저 다가오려 할 수도 있겠지만 외모가 평범한 대부분의 사람들은 그렇지 않다. 하물며 외모가 출중한 사람들도 아무것도 하지 않고, 꾸미지 않으면서 집과 직장에만 머무른다면 그조차도 어려울 것이다. 그렇기 때문에 가만히 있어도 영화나 드라마처럼 운명적인 만남을 할 수 있을 것이라는 믿음에 아무것도 하지 않고 기다리는 것은 연애를 할 수 있을지도 모르는 기회와 청춘을 스스로 버리는 것이라고 말하고 싶다. 결국, 이성을 만나고 연애를 하기 위해서는 잘났든 못났든 노력을 해야 하고 필요하다면 조금 더 적극적으로 이성을 만날 수 있는 기회에 스스로를 노출시키고 찾아나서야 한다는 것이다. 그렇다면 이성을 만날 수 있는 경로에는 어떤 것들이 있을까? 어떻게 하면 이성을 만날 수 있는 기회에 스스로를 더 많이 노출시킬 수 있을까?

- 학교, 직장

가장 평범하고도 일반적인 경로로는 학생이라면 학교, 직장인이라면 직장을 떠올릴 수도 있을 것이다. 학교나 직장이라면 상대방의 신원과 어떤 사람인지도 어느 정도 검증이 되어있고 학업과 업무를 위해 모였기 때문에 자연스럽게 이성과 대화를 하고 가까워질 기회도 많다. 또한, 업무 능력이나, 대인관계, 성격처럼 외모 외에도 이성에게 매력을 어필 할 수 있는 기회가 많기 때문에 학교나 직장에서 연애를 하는 것이 가장 일반적인 연애 경로가 되기도 한다.

하지만 학교나 직장처럼 한 조직에 오래 머물러야하며 이해관계가 많이 물려있는 환경은 아무래도 조심스러워 질 수 밖에 없다. 거기다 새로운 이성을 만날 수 있는 기회도 제한적일뿐더러 혹시나 마음을 표현했다가 거절을 당하거나, 마음이 잘 맞아 연애를 하더라도 헤어지게 된다면 그 이후를 무시할 수 없기 때문에 관계를 시작하기도 전에 생각이 많아지기도 한다. 특히나, 학교와 달리 직장같은 경우엔 지켜야 할 책임과 의무가 있다 보니 더욱 조심스러워질 수 있다. 그렇다보니 많은 사람들이 학교나 직장에서 연애를 하는 것을 꺼려하고 혹시나 호감이 있는 이성이 생기더라도 조심스러워져 적극적으로 표현하거나 다가가는 것을 어려워한다. 이런 부작용들을 신경 쓰지 않을 수 있거나 호감이 있는 상대와 마음이 정말 잘 맞아 큰 트러블 없이 연애를 하고, 혹시나 헤어지더라도 전혀 탈이 없을 수 있다면 학교와 직장이라는 경로도 나쁘지 않지만 그다지 추천하지도, 효율적이지도 않은 경로라고 말하고싶다.

- 아르바이트

20대의 특혜라고도 부를 수 있는 아르바이트는 많은 사람들이 연애를 하기에 정말 좋은 환경이라고 말한다. 학비나 용돈벌이를 해야 하는 20대 초중반들이 아르바이트를 가장 많이 하는 편인데 최근엔 고용주들이 20대 초반보다는 20대 후반이나 30대 초반을 더 선호하는 분위기이다보니 30대 초반까지도 아르바이트를 할 수는 있지만 보통은 20대 후반쯤부터 본업이 생기는 경우가 많다보니 실질적으로는 아르바이트를 하는 연령대는 대부분은 20대라고 볼 수 있을 것이다. 아르바이트도 분야가 정말 다양하지만 보통 사람들이 연애를 하기에 좋다고 말하는 분야는 사무직이나 혼자서 근무하게 되는 분야보다는 술집이나, 식당처럼 근무자 수가 적지 않고 경력이 없어도 무관한 서비스직종을 말한다.

아르바이트 특성상 이성에 관심이 많은 20대들이 모이다보니 마음이 맞기만 하다면 연애의 관계로 발전하기가 쉽다고도 볼 수 있으며 아르바이트의 특성상 짧은 기간 동안 근무자가 바뀌는 경우도 많고, 서비스직은 손님을 직접 마주하는 경우가 많다보니 새로운 이성을 만날 기회도 적지 않다고 볼 수 있다. 이성과 함께 일하다 보면 자연스럽게 가까워질 수도 있으며 크게 이렇다할 어필을 하지 않아도 정이 들면서 호감을 가지게 되는 경우도 많아

학교나 직장처럼 자연스럽게 만나기에는 정말 좋은 환경이 될 수 있다.

하지만 매장의 규모나 분위기에 따라 인원이 적거나, 성비가 맞지 않거나, 호감이 가는 이성이 없는 경우도 있을 수 있다는 단점이 있기 때문에 어떤 곳에서 일하느냐에 따라 이성을 만날 기회가 많을 수도, 전혀 없을 수도 있다. 그렇기 때문에 어떤 곳에서 일하는 것이 이성을 만날 기회가 많을지 고려를 해야 하는데 근무하는 인원이 적을 수밖에 없는 동네의 규모가 작은 매장이나 특정성별의 근무자가 많을 수밖에 없는 고기집, 해장국집 같은 곳보다는 번화가의 규모가 큰 매장이나 적절한 성비에 인원이 많을 수 있는 술집이나 양식집을 추천한다. 그 중에서도 헌팅술집이나 유원지 아르바이트가 가장 아르바이트를 하면서도 이성을 만날 기회가 많다고 볼 수 있다.

– 학원, 강습

학교를 다니지 않거나, 직장을 다니지 않거나, 아르바이트를 하지 않아도 학원을 다니거나 강습을 받게 된다면 새로운 이성을 만날 기회가 생길 수 있다. 최근에는 직장에서의 업무나 학업 외에도 취미를 위해 무언가를 배우는 것이 새로운 문화로 자리 잡아 퇴근 시간대에 학원이나 강습을 받으려는 사람이 적지 않다. 다만, 시험이나 자격증을 위한 공부가 주 목적인 학원에 경우엔 굉장히 폐쇄적이기 때문에 새로운 이성을 만날 기회도 적을뿐더러 상대방이 이성을 만날 여유가 없을 가능성도 높아 공부가 주 목적인 학원보다는 조금 더 취미에 가까운 학원이나 강습을 추천한다. 특히나, 베이킹 강습이나 댄스 강습같이 단체로 강습을 받게 되면서 이성과 대화를 할 기회가 자연스럽게 생길 수 있는 강습이 가장 좋을 수 있다.

학교나 직장처럼 장기간 한 조직에 머무르는 것이 아니라 강습을 위해 일시적으로 모이는 것이다 보니 이성에게 다가가거나 표현하기가 어렵지 않고 강습 특성상 매번 사람이 바뀌는 강습이라면 매번 새로운 이성을 만날 기회가 생길 수도 있다. 하지만 비용이 발생할 수 있다 보니 애초에 주목적이 강습이라면 좋은 기회가 될 수 있지만 이성이 목적이라면 비용이 부담스러울 수 있으며 어느 강습이든 한 강습에 인원이 제한되어 있다 보니 새로운 이성을 만날 수 있는 기회가 있더라도 효율적으로 많다고 말하기는 어렵다.

- 지인소개, 미팅

지인의 소개를 통해 이성을 만나는 것은 이성이 많은 곳을 간다거나, 이성에게 먼저 다가가는 것처럼 특별히 무언가 하지 않아도 쉽게 이성을 만날 수 있다는 장점이 있다. 소개를 해주는 지인이 적극적으로 도와주려한다면 원하는 이상형에 최대한 가까운 사람을 소개받을 수도 있고 만나기전에 상대방에 대한 정보를 미리 알 수 있어 다른 경로에 비해 부담감이나 시행착오가 적다고 볼 수 있다.

하지만 주변 지인 중 소개를 해줄 여력이 있는 지인이 있어야한다는 것이 가장 큰 단점이 될 수 있는데 아무래도 지인에게 소개를 받는 것 이다보니 지인들도 소개를 해줄만한 사람이 없다면 이상형에 가까운 사람은커녕 소개 자체를 받지 못할 수도 있기 때문이다. 그렇다보니 최근에는 비용을 지불하면 소개팅을 진행해주는 업체도 생기기도 했는데 대체로 여성은 무료, 남성은 5만원 이하의 비용을 지불해야한다. 직접 대면으로 진행하기도하고, 프로필과 사진을 통해 비대면으로 진행하기도 하는데 남성의 입장에서는 비용이 매번 들다보니 그다지 추천하지는 않지만 다른 방법이 없다면 경험삼아 시도해보는 것은 나쁘지 않을 수 있다. (소개팅 어플과는 다르다.)

- 도서관, 헬스장

괜찮은 사람을 만나기 위해서는 도서관이나 헬스장으로 가라는 말이 있다. 아무래도 도서관을 간다거나 헬스장에서 운동을 한다는 것은 그만큼 자신을 위해 무엇을 해야 할지 안다는 것이니 비교적 괜찮은 사람들이 많을 수 있다는 것이다. 물론, 이는 기본적으로는 내적으로 괜찮은 사람을 뜻하기 때문에 외모적으로 괜찮은 사람의 비중은 높지 않을 수 있다. 도서관과 헬스장의 장점은 괜찮은 사람이 많을 확률이 높다는 것 외에도 매번 같은 시간대에 가더라도 매번 새로운 사람이 있을 가능성이 높다는 점인데 이 장점이 동시에 단점이 될 수도 있다. 학교나 직장, 아르바이트 같은 경우엔 같은 사람을 여러 차례 만나게 되며 자연스럽게 가까워질 기회가 많을 수 있는데 도서관이나 헬스장처럼 매번 새로운 사람이 있는 상황이라면 그때가 유일한 기회일 수 있기 때문에 다른 방법과 다르게 직접 다가갈 용기가 필요하다는 것이다. 또한, 헬스장이나 도서관 같은 경우엔 누군가를 만나기 위해서라 기보다는 자신을 위해 공부를 하거나 혼자서 운동을 하기위해 방문하는 공간이다 보니 이성이 다가오는 것에 거부감을 느낄 수도 있어 도서관과 헬스장에서 이성을 만나려하는 것은 그렇게 추천하지는 않는다.

- 소개팅 어플

소개팅 어플 같은 경우엔 남성에게는 여성의 프로필을, 여성에게는 남성의 프로필을 보여주는데 프로필에는 사진과 나이, 사는 곳 등이 나와 있어 상대방의 신상을 간단하게 확인할 수 있도록 되어있다. 때문에 짧은 시간에 수많은 이성의 프로필을 볼 수 있고 마음에 드는 이성이 있다면 쪽지를 보내는 식으로 관심을 표현할 수 있다. 짧은 시간에 많은 이성의 프로필을 볼 수 있고, 마음에 드는 이성에게 즉시 쪽지를 보낼 수 있다는 점이 소개팅 어플의 가장 큰 장점인데 이러한 장점 덕에 소개팅 어플이 굉장히 유행일 때가 있었다. 실제로 소개팅 어플을 이용하는 회원들의 수도 적지 않으며 성비도 적당했고, 소개팅 어플을 만든 업체에서도 공격적인 광고를 하여 소개팅 어플에 큰 관심이 없는 사람도 한 번쯤 설치를 해서 어플을 사용해보도록 유도했다. 그렇다보니 소개팅 어플을 이용해 이성을 만나는 사례도 적지 않았고 소개팅 어플은 이성을 만나기 좋은 경로 중 하나였다.

하지만 소개팅 어플이 유행이 되다보니 너도나도 소개팅 어플을 만들기 시작했고, 수많은 소개팅 어플이 양산되었다. 몇몇 이용자 수가 적은 소개팅 어플 업체 같은 경우엔 남성 회원을 끌어들이기 위해 여성 회원인척 연기하는 아르바이트를 쓰거나, 프로그램을 사용하기도해 소개팅 어플 자체의 인식이 나빠지는 계기가 되기도 했다. 어플을 사용하기 위해 비용이 든다는 점도 단점이 될 수 있고, 어플을 사용하다보면 사진으로만 사람을 판단하게 되다 보니 남성, 여성 할 것 없이 사진에 과한 보정을 넣어 실제로 만났을 때 서로 실망을 하는 경우도 적지 않았다. 또한, 어느 소개팅 어플 이든 여성 회원에 비해 남성 회원이 많다는 점에서 한 명의 여성에게 적게는 10명대에서 많게는 수백 명이 대시를 하다 보니 평범한 외모를 가진 남성은 여성에게 선택을 받기가 어려울 수밖에 없는 구조가 되었다. 이러한 이유로 소개팅 어플이 나왔던 초창기와 비교해 장점보다 단점이 더 많아졌기 때문에 어플이 나왔던 초창기였다면 이성을 만나기 좋은 경로로 추천을 했겠지만 지금은 그다지 추천하고 싶은 경로는 아니다.

- 모임

이성을 만나기 위해 내가 가장 추천하는 방법은 모임에 가입하는 것이다. 보통 직장을 다니거나 학교를 다니고 있다면 이미 자신이 속한 조직에서는 더 이상 이성을 찾기가 어려워 그 외에 경로를 찾는 경우가 많은데 직장인에 경우엔 아르바이트를 하기가 어려울 수 있고, 학생의 경우엔 강습을 받기엔 비용이 부담스러울 수도 있을 것이다. 또, 아르바이트나 강습을 받더라도 새로운 이성을 만날 기회가 계속적으로 많은 것은 아니다보니 그렇게 효율적이라고 말하기도 어렵다. 하지만 모임에 경우엔 최소 10명 이상의 다수가 활동을 하는 경우가 많아 새로운 이성을 만날 기회도 많으며 모임의 주제에 따라 다르겠지만 비용이 아예 없거나 적은 경우가 많아 시간적으로도 원할 때만 활동을 하면 되기 때문에 부담감이 적을 수 있다. 또한, 모임의 특성상 새로운 사람의 유입이 굉장히 활발해 새로운 이성을 만날 기회가 많으며 자연스럽게 이성과 대화를 할 기회도 정말 많을 수 있다. 한 번에 여러 모임을 가입하면 새로운 이성을 만날 기회를 더욱 많이 가질 수도 있으며 가입한 모임에서 호감이 가는 이성이 없거나 모임과 잘 맞지 않다면 언제든 다른 모임에 다시 가입할 수 있다는 점도 정말 큰 장점이다.

하지만 모임의 특성상 여러 사람이 모이다보니 다른 사람들의 시선과 평판을 신경써야하며 모임 활동을 하면서도 여러 사람과 함께하는 상황이 많아 호감이 가는 이성과 단 둘이 대화를 하기는 어려울 수 있으며, 성비가 적당하지만 대부분의 모임이 남성에 비해 여성의 수가 상대적으로 적은 경우가 많아 한 명의 여성에게 여러 남성이 대시를 하고 있는 경우도 있어 평소 성격이 내성적이라면 모임의 분위기가 굉장히 힘들게 느껴질 수 있다.

모임에 가입하는 방법은 정말 다양한데 나는 '소모임'이라는 이름의 어플을 이용하는 것을 추천한다. 소모임 어플 내에는 굉장히 다양한 주제의 모임이 있어 관심이 있는 주제의 모임에 가입해서 활동을 할 수 있으며 특별히 관심이 있는 주제가 없다면 주제 없이 사교가 목적인 사교모임에 가입할 수도 있다. 소모임 어플을 사용하는 사람이 정말 많아 대부분의 모임이 굉장히 활발하며 모임에 따라 모임의 회원 수가 적게는 10명에서 수백 명까지 다양하다. 여성 이용자도 적지 않아 모임의 성비도 적당하며 한 번에 여러 모임에 가입할 수 있을 정도로 모임도 많다.

소모임이라는 어플 외에도 1km라는 이름의 어플과 카카오톡의 오픈채팅을 이용하는 경우도 있고, 네이버 카페나 네이버 밴드 어플을 이용하기도 하는데 오픈채팅의 경우엔 신원이 확인되지 않은 불특정 다수가 모이다보니 위험할 수 있으며 1km같은 경우엔 이용하는 사람의 수가 적어 활발하지 않고 네이버 카페나 밴드같은 경우엔 연령대가 다소 높은 편이라 추천하고 싶지 않다.

- 길거리, 술집

번화가의 길거리와 술집에는 남성과 여성할 것 없이 언제나 정말 많은 사람들이 모인다. 정말 많은 사람들이 모이다보니 이중에는 분명 마음에 드는 이성이 있을 수 있는데 길거리나 술집, 그 외에 어디든 마음에 드는 이성이 있다면 말을 걸고 연락처를 물어볼 수 있다. 새로운 이성을 만날 수 있는 다른 경로들은 이성을 만날 기회가 많고 적고를 떠나 결국 기회는 유한적이었다. 하지만 장소가 어디이든 마음에 드는 이성이 있을 때 연락처를 물어볼 수 있다면 새로운 이성을 만날 기회는 무한할 수 있을 것이다. 다른 경로들처럼 책임이나 의무가 있는 것도 아니고, 비용이 드는 것도 아니며, 보정 탓에 사진과는 다른 사람이 나올 걱정을 할 필요도 없다. 그렇기 때문에 다른 경로들에 비해 부담감도 덜고 나의 이상형에 가까운 사람을 만날 수 있는 기회도 많다고 볼 수 있다. 먼저 다가가 연락처만 물어볼 수 있다면 새로운 이성을 만날 기회가 정말 많을 수 있다는 점이 이 경로의 가장 큰 장점이다.

하지만 아무래도 모르는 사람에게 다가가 연락처를 물어보는 것이다 보니 모르는 사람에게 말을 걸 만큼의 용기와 자신감이 필요한데 많은 사람들이 용기와 자신감이 부족해 이성에게 다가가는 것을 어려워한다. 또한, 이성을 만날 수 있는 다른 경로들처럼 어떠한 목적을 가지고 여러 차례 만나는 것이 아니다보니 외모 외에는 서로를 판단할 수 있는 기준이 없어 어쩔 수 없이 외모를 보게 되는데 평소 자기관리를 하지 않거나 첫인상이 좋지 않은 외모라면 거절을 당할 확률이 높을 수밖에 없게 된다. 때문에 자기관리를 충분히 해서 첫인상이 좋을만한 외모이며, 이성에게 말을 걸 정도의 자신감이 있다면 다른 어떤 경로보다 새로운 이성을 만날 기회가 많은 좋은 방법이지만 그렇지 않다면 전혀 도움이 되지 않는 경로인 것이다. 그렇기 때문에 스스로 충분히 준비하기만 한다면 이성을 만나기에는 모임보다 더 좋은 경로가 될 수 있다고 말하고 싶다.

이성을 만날 수 있는 경로와 방법들에 대해 몇 가지 말해보았다. 몇몇 독자들은 느꼈을 수 있겠지만 사실, 이성을 만날 수 있는 특별한 경로가 있는 것은 아니다. 이성을 만날 수 있는 획기적이고 특별한 경로를 기대했다면 실망스러웠을 수 있겠지만 흔한 경로를 통해 이성을 만나거나, 마음에 드는 이성이 있다면 직접 말을 것이 대부분인 것이다. 그렇기 때문에 가장 중요한 것은 이성을 만날 수 있는 경로와 방법이 특별한지 아닌지가 아니라 이성을 만나려할 때, 상대방에게 어필하고 그 관계를 제대로 이끌어갈 준비가 되어있지 않다면 좋은 결과를 기대하기는 어렵기 때문에 좋은 결과를 기대할 수 있도록 자기관리를 하고 상대방에게 어필을 할 수 있도록 준비를 해야 한다는 것이다. 때문에 이성을 만날 수 있는 경로는 말 그대로 하나의 방법일 뿐이니 이성을 만날 수 있는 특별한 경로를 기대하거나 그 경로에 의존하지 않는 것이 좋다. 결국, 어떤 방법인지가 중요한 것이 아니라 이성에게 어필이 될 정도로 준비를 하고, 나와 가장 잘 맞는 방법을 찾는 것이 중요한 것이다.

6. 몇 가지 사례들

누누이 말했던 것처럼 연애는 결국 경험이 가장 중요하다. 그렇다 보니 경험이 많고 적고에 따라 연애의 질이 달라질 수밖에 없는데 직접 하나하나 경험하며 쌓기에는 시간도, 감정적으로도 제한적이고 어려움이 많을 수밖에 없다. 그래서 나는 이번 6장을 통해 내가 상담을 진행하며 직접 다루었던, 연애에 도움이 될 만한 몇 가지 사례들을 보여줄 것이다. 이 사례들을 통해서 간접적으로 경험하고 연애를 할 때 무엇을 하고 무엇을 하지 말아야하는지, 어떤 마음가짐을 가져야하는지 다시 한 번 생각해보는 것이다.

- 자신의 단점을 말하지 말라

상담을 진행하다보면 정말 다양한 내담자와 다양한 고민들을 접하게 되는데 그 중에서도 연애를 하는데 있어서 치명적인 단점이 될 만한 문제점을 가진 내담자들이 종종 있다. 이런 단점들은 이성이 알게 되면 관계가 끝나거나, 끝나게 될 것이라고 여겨지는 정도의 단점이다. 그렇다보니 이러한 단점 때문에 매번 연애가 어려워지고, 심하면 연애를 단 한 번도 해보지 못하게 되는 경우도 적지 않은데, 그렇다면 이렇게 큰 단점이 있다면 연애를 할 수 없는 것일까? 그렇지 않다. 누구에게나 크고 작은 단점은 있기 마련인데 똑같이 단점이 있어도 그 단점을 어떻게 커버하느냐에 따라 이성에게 보이는 결과는 다르다고 말하고 싶다. 한 가지 사례를 들어보겠다.

자신의 단점 때문에 이성들이 자신을 만나려하지 않는다는 고민을 가지고 있던 내담자 P님은 자신의 또래에 비해 경제적인 능력이 좋지 않고, 다소 소심하다는 단점을 가지고 있었다. 이런 단점 탓에 이미 몇 차례 이성에게 거절을 당한 경험이 있다 보니 자신감이 낮아진 P님은 새로운 이성을 만날 때마다 "저는 사실 다른 사람들보다 능력도 좋지 않고 성격도 소심해요"라는 말을 습관적으로 하게 되었다. 결국 상대방도 알게 될 단점이고, 자신감이 낮아껴있다 보니 스스로도 확신이 없어 자신도 모르게 이성을 만날 때마다 단점을 먼저 말하게 된 것이다. 결국 이런 단점 때문인지 P님은 새로운 이성을 만나도 매번 얼마 못가 거절을 당하거나 연락이 끊어졌다. 사실, P님의 단점은 마이너스가 되는 단점이긴 하지만 이성에게 거절을 당하게 될 정도로 큰 단점인 것은 아니다. 하지만 이 단점 탓에 거절을 당한 경험이 있었던 P님 스스로가 이 단점을 반복적으로 언급하다보니 상대도 이 단점을 더 크게, 문제가 된다고 느끼게 된 것이다. 상대방의 입장에서는 P님을 만날 때, P님이 어떤 사람인지 모르기 때문에 어떤 사람인지를 우선적으로 판단하려 할 것이다. 지인에게 소개를 받아 기본적인 정보를 안다고 하더라도 직접 만나서 대화를 해보며 P님의 행동이나 말투, 태도 같은 것들을 보게 되는 것이다. 하지만 P님이 어떤 사람인지, 어떤 장점을 가지고 있는지 정확히 알기도 전에 단점을 먼저 듣게 된다면 그 단점이 더 부각되어 보이고, 어쩌면 선입견이 생겨 무슨 행동을 해도 단점처럼 보일 수도 있을 것이다. 이러한 이유로 P님의 단점을 먼저 듣고서 P님을 만나보던 이성들은 정말 그 단점을 직접 느끼게 되고, 자신감이 없는 모습에 이성으로서의 매력을 느끼지 못해 관계를 정리하게 된 것이다. 나에게 상담을 받으며 진짜 문제가 경제적인 능력이나 소심한 성격이 아니라 스스로 단점을 말하며 상대방을 떠나게 만들었다는 것을 알게 된 P님은 이후로 새로운 이성을 만나더라도 스스로 자신의 단점을 말하지 않으려 했고, 결국에는 자신의 단점을 이해해줄 수 있는 사람을 만날 수 있었다고 한다.

꼭 이번 사례와 같은 단점이 아니어도 스스로 무언가 부족함이 있다고 느낄 때 상대방에게 자신의 단점을 먼저 말하는 경우가 생각보다 적지 않은데 자신의 단점을 먼저 말하는 것은 자신을 만나야할 이유를 어필하기도 부족한 시간에 자신을 만나지 말아야할 이유를 상대방에게 제시해주는 것과 다름없다. 때문에 절대로 하지 말아야 하는 행동이라고 말하고 싶다. 누가 자신의 단점을 말하며 자신감 없는 모습을 보이는 사람에게 흥미를 느끼겠는가? 만약 어떤 단점이 있더라도 상대방을 만나는 초반에는 굳이 알리려 하지 말고 숨길 수 있다면 숨기는 것이다. 꼭 알려야한다면 충분히 가까워 진 후에, 그것도 가능하다면 정이 든 후에 말하는 것을 추천한다.

-자신의 강점, 매력을 알고 이용하라

앞서 언급한 것처럼 이성에게 매력적으로 보이고, 이성이 나에게 마음을 갖게 만들기 위해서는 자신의 강점과 매력이 무엇인지 확실히 알아야할 필요가 있는데, 강점과 매력이라는 것이 꼭 대단해야할 필요는 없다. 사소한 것이든 정말 대단한 것이든 나만의 강점과 매력을 확실하게 인지하고 나에게 가장 잘 맞게 활용하는 것이 중요한 것이다. 만약 다른 사람들보다 키가 더 큰 편이라면 큰 키를 나만의 강점으로 활용할 수 있을 것이고, 평소 남자답게 생겼다는 말을 많이 듣는다면 스타일링을 할 때도 귀여운 느낌보다는 남자다움을 강조할 수 있는 스타일링을 해서 남자답게 생겼다는 매력을 더 어필할 수도 있을 것이다. 이처럼 자신의 강점과 매력을 인지하고 이를 더 강조하며 활용하는 것이다. 물론, 성격적인 부분에서도 충분히 적용이 될 수 있는 부분인데 아무래도 겉으로 보이는 외모적인 부분이 아니다보니 굉장히 추상적이고 어렵게 느껴질 수도 있을 것이다.

한 예로 대면컨설팅을 요청했던 U라는 내담자분은 항상 매력이 없다는 말을 듣는다는 것이 가장 큰 고민이었다. 고민을 해결하기 위해 지인들의 조언을 들어보기도 하고, 따라 해보기도 하는 등 다양한 시도들을 해봤지만 여전히 매력이 없다는 말을 듣곤 했고,

조언들을 너무 중구난방으로 듣다보니 오히려 더 헷갈려져 나에게 도움을 요청한 것이다. 내담자분을 만난 나는 우선 정확히 어떤 이유에서 매력이 없다는 말을 듣는지 파악하기 위해 정말 많은 대화를 나누었다. 대화를 나누다보면 말을 하는 스타일, 습관, 성향을 알 수 있는데 내담자분은 매력이 없다는 말을 들을만한 사람은 아닌 것같아보였다. 오히려 말도 재치 있게 할 줄 알고, 자신만의 가치관이 뚜렷했는데 가치관이 뚜렷한 만큼 화법도 직설적인 편이었다. 그 직설적인 화법이 나는 굉장히 매력적으로 느껴졌었는데 이런 점들을 이성에게 보여줄 수 있다면 매력이 없다는 말을 들을 일은 없을 것같아보였다. 외모 같은 경우에도 내담자분은 다소 차갑게 생긴 외모를 가지고 있었는데 잘 어울리는 스타일을 찾아 제대로 꾸민다면 충분히 인기가 있을법한 외모였다. 하지만 매력이 없다는 말을 듣지 않기 위해 다양한 시도를 하면서도 자신에게 잘 어울리는 스타일이 무엇인지 몰라 가까운 지인의 스타일을 따라하고, 이성과 대화를 나눌 때도 자신에게 맞는 대화 방식으로 대화를 하기보다는 가까운 지인들의 방식을 따라한 것이 오히려 독이 되고 있었다. 내담자분이 따라 하기로 한 지인은 이성을 잘 만나기는 하지만 귀여운 외모와 애교가 섞인 말투로 내담자분과는 어떻게 보면 정반대의 매력을 가지고 있었는데 무작정 따라하려하다 보니 그 모습이 잘 어울리지도 않고, 원래의 성격과도 다르니 더 매력이 없어보였던 것이다. 외모 같은 경우에도 아이비리그컷과 어두운 계열의 옷이 굉장히 잘 어울릴만한 외모였는데 지인들이 모두 평범한 투블럭댄디컷에 무난하고 귀여운 스타일의 옷을 선호하다보니 그런 지인들과 비슷한 스타일로 꾸미고 있었던 것이다. 이런 문제점들을 확실하게 짚어준 후에 다음번에 이성을 만났을 땐 이렇게 거절당하든 저렇게 거절당하든 거절을 당한다면 끝난다는 것은 똑같으니 내가 컨설팅을 해주는 대로만 행동해보자고 제안했다. 우선, 새로운 이성을 만날 땐 이전에 지인들이 해주었던 말들은 모두 잊고 평소 편하게 생각하는 사람들에게 하는 것처럼 직설적일 땐 직설적으로 말하되 상대방에게 귀여운 느낌을 주기보다는 과묵한 느낌을 주기로 하고, 외모 같은 경우엔 아이비리그컷으로 헤어스타일링을 한 후에 어두운 계열의 시크한 느낌을 줄 수 있는 패션으로 스타일링을 해보기로 한 것이다.

처음엔 이성에게 편한 사람을 대하는 것처럼 직설적으로 말하고 과묵한 느낌을 준다는 것에 대해 내담자분은 혹시나 그러다가 차이는 것 아니냐는 우려를 표현했다. 그도 그럴 것이 대부분은 이성에게 잘 보이기 위해 말을 많이 하려하고, 직설적으로 말하기보다는 다정하게 말하는 것이 일반적인데 내가 제안한 것은 그와 정반대와 다름이 없었기 때문이다. 내담자분의 입장에서는 지금까지 자신이 봐왔던 정답에 가장 가까운 행동 지침과는 반대되는 것들 이다보니 내가 제안한 것들은 이성에게 거절당할 확률이 높아 보이는 틀린 행동이라고 여겨지기도 했을 것이다. 내담자분이 생각하는 옳은 방식과 내가 제안한 방식 모두 정답일 수 있고 틀린 방법 일 수도 있겠지만, 이성을 만나는데 있어서 취향은 있어도 정답은 없다고 말하고 싶다. 어떤 사람은 과묵하고 직설적인 게 불편해서 싫을 수도 있지만 어떤 사람은 과묵하고 직설적인 게 더 남자답다고 느껴 좋을 수도 있을 것이다. 혹은 누군가는 말이 많고 장난기가 많은 스타일을 재미있다며 좋아할 수 있지만 누군가는 가벼워보인다며 싫어할 수도 있을 것이다. 결국 어떤 방식으로 이성을 대하든 상대방이 어떤 취향이느냐에 따라 다르기 때문에 어중간하게 모두에게 맞추려 할 바에 나 자신에게 가장 잘 맞는 스타일과 방식을 찾아 적극 활용하는 것이 더 나을 수 있다는 것이다. 내담자분은 처음에는 반신반의하는 듯한 반응을 보였지만 컨설팅을 진행한 이후로는 이성을 만날 때마다 내가 제안한 방식으로 이성을 대했는데 이성들의 반응은 걱정했던 것과는 달리 너무 만족스러웠다고 한다. 내가 제안한 스타일을 좋아하는 이성은 매력 있다며 굉장히 좋아하고, 싫어하는 이성은 매력은 있지만 자신과 맞지 않다고 말하기도 했는데 매력이 없다며 매번 거절을 당하던 이전과 비교하면 정말 큰 진전이었던 것이다. 거기다 변화를 확인하니 스스로 부족한 점이 보여 조금만 더 개선된다면 이런 스타일을 좋아하지 않는 사람의 마음도 가져올 수 있을 것 같다는 자신감도 생겼다고 한다. 대면컨설팅을 받고서 문제가 생긴다면 다시 찾아오기로 한 이후에는 더 이상 나를 찾아오지는 않았지만 내담자분이 방향성을 잃지 않았다면 이성을 만나는데 전혀 어려움이 없었을 것이라는 확신이 든다. 기억하자 나의 강점과 매력이 무엇인지 확실히 인지하고, 그 강점과 매력을 활용해 나에게 가장 잘 맞는 스타일을 찾는 것이다.

- 실수를 하는 것이 문제가 아니라 대처를 어떻게 하느냐가 중요하다.

32살이 될 때까지 연애를 단, 한 번도 해보지 못한 내담자 K님은 그동안 너무나도 바쁘게 살아왔다보니 스스로를 가꾸거나 연애를 할 여유가 전혀 없었다. 하지만 30대가 되며 경제적으로도 여유가 생기니 점점 연애에 대한 갈망이 커졌고, 뒤늦게나마 연애를 하기 위해 많은 시도를 해봤지만 매번 결과가 좋지 못해 나를 찾아왔다. K님의 문제는 30대가 될 때까지 연애를 한 번도 하지 못해 스스로를 가꾸는 것에도 부족함이 있지만 연애 경험이 전혀 없으니 모든 것이 낯설고 어설펐다는 것이다. 그런데 더 큰 문제는 연애 경험이 적다는 단점을 오히려 어설픔을 정당화하는 수단으로 이용하게 되었다는 점이다.

20대 초반이라면 연애경험이 없는 것이 전혀 이상하지 않고, 서로 연애경험이 적으니 아무 문제가 없지만 30대라면 상황이 다를 수밖에 없다. 상대방이 20대 후반이나 30대라면 당연히 연애 경험이 적지 않을 것이고, 상대방이 지금까지 만나오던 사람들도 나이가 있으니 연애경험이 적지는 않았을 것이다. 그런데 이런 상대방이 연애 경험이 전혀 없는 30대를 만나게 된다면 상대적으로 답답하게 느껴지고 이성으로서의 매력을 느끼기 어려울 수도 있을 것이다. 아니나 다를까 K님은 연애를 해본 경험이 없다보니 어설픈 모습을 보이거나 실수를 하는 경우가 종종 있었는데 그럴 때마다 K님은 굉장히 당황해하며 습관처럼 "죄송해요... 연애 경험이 없어서 실수를 했어요"라는 식으로 말하곤 했다. K님의 이런 대처에 상대방이 이해해주고 넘어가는 모습을 몇 차례 보이니 연애 경험이 없어서 실수를 할 수도 있다는 것을 상대방이 당연히 이해할 것이라고 믿고 넘겨버리게 된 것이다. 그렇다보니 상대방과 연애를 하면서도 같은 실수는 반복되었고, 스스로도 어쩔 수 없다고 생각하며 넘겨버리니 실수를 하거나 어설픈 모습을 보였을 때 대처하는 능력도 개선되지 않았다. 결국 만나다보면 나아질 것이라고 믿던 상대방은 나아지지 않는 K님의 모습을 확인하고서는 K님을 떠났고 이후에 새로운 이성을 만났지만 비슷한 상황이 반복되었다.

경험이 많은 사람이라면 실수를 하는 횟수가 줄어들고 어설픈 모습을 덜 보일 수 있겠지만 아무리 경험이 많은 사람이라도 실수는 하기마련이다. 굉장히 많은 사람들이 실수를 하면 악영향을 끼칠까봐 실수 자체를 두려워하는데 사실, 실수 자체가 악영향을 끼친다기보다는 실수를 한 후에 어떻게 대처를 하느냐가 더 중요하다. 실수를 한 후에 미숙한 대처를 한다면 실수와 더불어 미숙한 대처로 인해 악영향을 끼칠 수 있지만, 실수를 한 후에 자연스럽고 능숙하게 대처를 한다면 오히려 대처를 하는 모습을 보고서 더 매력을 느낄 수도 있는 것이다. K님 같은 경우엔 실수를 하는 횟수도 횟수였지만 실수를 했을 때 제대로 대처를 하는 모습을 보였다기보다는 연애 경험이 적기 때문에 어쩔 수 없다는 식으로 대처 자체를 하지 않는 모습을 보였던 것이 문제였던 것이다. 이에 나는 실수를 했을 땐 당황하거나 변명을 하지 말고 급박한 상황이 아니라면 적어도 3초정도는 생각을 한 후에 차분하게 대처하고, 급박한 상황이라면 말보단 행동으로 수습을 하는 것을 우선 시해보는 식으로 시작해보자고 제안했다. 상담을 통해 자신의 문제가 정확히 무엇인지 인지를 한 K님은 나의 컨설팅에 따라 변화를 도모했고, 연애 경험 자체가 없다보니 그 외에도 개선해야할 점들이 많아 이후에도 많은 상담을 진행했는데 적어도 이 문제로 이성 관계에 문제가 생기지는 않았다. 꼭 K님과 같은 상황이 아니어도 실수를 하는 것을 두려워하지 말고 실수를 하더라도 여유있게, 성숙하게 대처할 수 있도록 해보는 것이 좋다.

- 안 되는 건 안 되는 거다. 어려운 걸 억지로 끌고 가려 하지마라

상담을 진행하다보면 도저히 이어지지 않을 것 같은 관계를 어떻게든 억지로 끌고 가려는 내담자분들을 어렵지 않게 볼 수 있다. 좋아하는 감정이 있으니 쉽게 포기하고 싶지 않은 마음은 정말 당연하다. 거기다 정말 어려울 것 같아보이던 관계도 부단히 노력해서 이어지는 스토리를 각종 매체에서 어렵지 않게 접할 수 있다 보니 완전히 끝났다고 생각되기 전까지는 포기하고 싶지 않은 마음이었을 것이다. 실제로, 정말 어려울 것 같아 보이는 관계여도 지속적으로 마음을 표현하고 노력해서 연인 관계로 발전을 하는 경우가 분명히 있기는 하지만 대부분은 그렇지 않을 수 있다고 말하고 싶다.

한 내담자분은 오래전부터 짝사랑을 하던 상대방과의 관계에 진전이 없어 이제는 확실하게 담판을 짓고 싶은데 어떻게 하는 게 좋을지 고민이 되어 나를 찾아왔다. 내담자분의 얘기를 들어봤을 땐 같은 대학을 다니며 개인적으로 연락을 하기도하고, 만나기도 하면서 나름대로 가깝다면 가까울 수도 있는 관계였지만 친구정도의 관계였을 뿐 상대방은 내담자분을 이성으로 보고 있는 것 같지는 않아보였다. 수많은 상담을 진행하다보면 짝사랑, 연인관계, 재회 등 많은 사연을 접하게 되는데 사례가 누적되다보면 현재 상황을 직접 듣고, 카카오톡 대화내용만 봐도 이 관계가 가능성이 있을지 없을지는 어느 정도 눈에 보이게 된다. 그런데 내담자분 같은 경우엔 사실상 가능성이 거의 없어보였다. 그 이유로는 상대방의 취향과 내담자분은 완전히 정반대에 가까웠고, 이미 오래전부터 친구관계로 굳어져있다 보니 상대방이 내담자분을 이성으로 보게 만들기는 쉽지 않아보였다. 무엇보다도 이미 내담자분이 몇 차례 가볍게라도 마음을 표현해 왔고 매번 거절에 가까운 대답을 들은 상황이었다는 것이었다. 이 때문에 상대방이 내담자분과 일정한 거리를 두려는 것이 눈에 보였는데 이점 때문에 무언가를 더 시도하기도 굉장히 제한적이었다. 어느 사연이든 가능성이 낮아 보이면 마음을 정리하는 것을 추천하지만 그래도 아쉬움이 남을 것 같다면 후회나 미련이 남지 않도록 해볼 수 있는 것들은 모두 시도해보고, 그래도 어렵다면 그땐 정말 마음을 정리하는 것이 더 나을 수 있다고 말한다. 노력을 하고, 노력을 하는 만큼 상대방에게 닿을 수 있다면 정말 좋겠지만 사람의 마음이라는 것이 그렇지만은 않다보니 아무리 노력을 하고 표현을 하더라도 애초에 상대방이 나를 바라보고 있지 않다면 그 노력과 표현이 상대방에게 닿기는커녕 상대방에게 보이지도 않을 수 있기 때문이다.

내담자분 같은 경우에도 정말 어려워 보이는 상황이었지만 이미 오랜 시간 짝사랑을 해왔던 터라 마음을 완전히 정리하기 위해서라도 확실히 해볼 수 있는 것들은 모두 해보고자 했다. 이전에는 시도해보지 못했던 것들을 시간을 두고 시도하며 상대방이 내담자분을 이전과는 다르게 느낄 때쯤 확실하게 표현을 해보기로 한 것이다. 해볼 수 있는 것들을 모두 해보게 되면서 상대방도 어느 정도 변화를 느끼고, 긍정적인 반응을 해왔지만 워낙 두 사람의 관계가 친구로서의 관계로 굳어져 있었다보니 상대방도 이점에서 계속 마음의 제동이 걸렸던 것이다. 상대방의 입장에서는 친구를 잃고 싶지 않다는 이유도 이유였지만 내담자분이 상대방의 취향과는 정반대였다는 점도 어느정도 영향은 있었을 것이다. 결국, 또 다시 상대방에게 거절을 당했지만 해볼 수 있는 것들을 모두 해봤다는 점에서 내담자분은 아쉬운 마음은 분명 남아있지만 정말 많은 것을 배울 수 있었고 이전보다는 후련하다는 마음을 가질 수 있었다고 한다. 그렇게 컨설팅은 종료되었는데 정말 재미있는 점은 한 달이 조금 지났을 때 쯤 내담자분이 다른 사람과 연애를 시작했는데 관계를 어떻게 끌고 가는 것이 좋을지 조언을 얻고 싶어 나를 찾아온 것이다. 짝사랑을 하며 오랜 기간 감정 소모와 마음고생을 해왔는데 그 마음을 정리하고 나니 얼마 지나지 않아 마음이 맞는 새로운 사람을 만날 수 있게 된 것이다. 만약 내담자분이 그 마음을 정리하지 않고 계속 짝사랑을 했다면 새로운 사람을 만날 수 있었을까? 계속 짝사랑을 했다면 새로운 사람을 만날 기회를 놓쳤을 수도 있을 것이다.

결국, 취향 때문이든, 상황 때문이든 어떤 이유에서든 무슨 짓을 해도 안 되는 관계는 분명 있기 때문에 안 되는 관계를 억지로 끌고 가려 하지 않는 것이 좋다고 말하고 싶다. 안 되는 관계를 억지로 끌고 가려하다보면 오히려 자존감이 낮아지는 계기가 될 수도 있고, 새로운 이성을 만날 기회를 놓치게 되는 것일 수도 있기 때문에 정리를 하는 것이 좋지만 미련이 남을 것 같다면 빠르게 해볼 수 있는 것들은 다 해보고 정리를 하는 것이다. 누군가에게 거절을 당했다 하더라도 그것은 내가 부족해서가 아니라 상대방과 맞지 않았을 뿐, 나와 잘 맞는 사람을 다시 찾아서 만나는 것이 나 자신을 위해서라도 더 나은 선택일 것이다.

- 갑을관계

연애를 하면서 갑을관계가 있어서는 안 되지만 어느 관계이든 분명 갑을관계는 있다. 보통은 여성이 갑이 되고 남성이 을이 되는 경우가 많은데 나는 꼭 내가 갑이 되어야하는 것은 아니더라도 적어도 동등한 관계가 될 수 있도록 만들 필요는 있다고 말하고 싶다. 연애에 있어서 갑을관계가 있다면 사소한 것에서도 을이 더 억울하고 전체적으로 힘든 연애를 하게 될 수 있는데 이런 갑을관계는 왜 생기게 되는 것일까? 단순하게 본다면 누가 더 좋아하고 덜 좋아하느냐에 따라 갑을관계가 생길 수도 있고, 누가 더 잘나고 못났느냐에 따라 갑을관계가 생길 수도 있지만 스스로가 자신도 모르게 을을 자처하며 상대방이 갑이 되게 만들어버리는 경우도 있다.

한 예로 1년간 연애를 한 상대와 갑을관계가 생겨 고민을 하던 내담자 A분의 사례를 들어보겠다. 내담자분이 처음 나를 찾아왔을 땐 서로의 관계에 갑을관계가 있다고는 생각하지 못했고, 막연히 1년간 해온 연애가 점점 힘들어지고 문제가 생길 때마다 쉽게 해결되지 않는 것 같아 나를 찾아왔던 것이다. 연하의 여자친구와 1년간 연애를 했는데 서로의 관계는 좋을 때는 정말 좋았다고 한다. 특히나, 초반에는 아무 문제가 없다고 느낄 정도로 좋은 관계였는데 어느 순간부터 의견이 갈리면 상대방은 대뜸 화를 내다가 연락을 피하거나, 본인이 화를 내다가도 화가 풀려 화해를 하고 싶으면 꼭 화해를 해야 하며, 누가 잘못을 했든 꼭 내담자분이 사과를 해야 하고, 데이트를 할 때도 모든 준비를 내담자분이 해야 했는데 무엇보다도 상대방은 은연중에 '내가 너를 만나주는거야'라는 듯한 태도를 비추고는 했다고 한다. 내담자분이 연애 초반에는 아무 문제가 없다고 느꼈다는 것은 상대방도 이런 모습을 초반에는 보이지 않았다는 것인데, 그렇다면 문제의 원인은 상대방이 원래부터 이런 성향인데 초반에는 숨겼던 것이거나, 상황이 상대방을 이렇게 행동하게 만들었거나 둘 중 하나인 것처럼 보였다. 문제의 원인이 정확히 무엇인지 파악하기 위해 내담자분과 정말 많은 대화를 나누었다. 다투었을 땐 어떤 식으로 풀려고 하는지, 내담자분이 상대방을 대할 땐 어떻게 대하고 상대방은 내담자분을 어떻게 대하는지, 누가 더 많이 연락하고 약속을 잡기 위해 노력하는지 등 다양한 질문을 통해 대화를 주고받으면서 원인은 상대방이 아닌 내담자분에게 있음을 알 수 있었다. 초반에는 상대방도 굉장히 적극적이고 배려심이 깊었는데 이런 모습에 감동을 받은 내담자분은 상대방에게 더욱 잘해주고 싶은 마음이 생겼던 것이다. 더 많이 표현해주려 하고, 연락을 하거나 약속을 잡는 것도 먼저 적극적으로 하려하고, 돈을 써야하거나 번거로운 일을 해야 할 때도 상대방에게는 전혀 부담을 주고 싶지 않아 본인이 모두 부담하려했고 만나줘서 고맙다는 말을 습관처럼 했는데, 무엇보다도 다투었을 땐 잘못의 여부를 떠나 자신이 연상이니 무조건 사과를 하며 풀어주려 했던 것이다. 겉으로 봤을 땐 상대방이 정말 행복하다고 느낄 수 있을 정도로 잘해주고 있는 것이기 때문에 아무 문제가 없어 보일 수 있지만 나는 내담자분이 했던 행동들은 시기적으로 너무 일렀고, 절제가 없었다고 본다. 만약 연애초반부터 이렇게 행동했던 게 아니라 관계가 더 깊어지고, 견고해졌을 때쯤부터 이렇게 행동했다면 상대방도 긍정적으로 받아들여 더 행복하고 깊은 관계가 될 수 있었을 것이다. 하지만 연애초반부터 너무 퍼주는 식으로 연애를 시작하다보니 상대방은 당연하게 생각하게 되고 점점 익숙해져 자신이 갑이라고 착각하게 된 것이다. 특히, 다툴 때 마다 상대방이 어떤 식으로 행동하든 내담자분이 사과를 해주고 풀어주려 하니 항상 자신이 옳다고 생각하게 되고, 내담자분이 자신을 좋아하는 마음이 정말 커서 절대로 자신에게서 헤어 나올 수 없다고 믿게 된 것이다.

상황을 해결하기 위해서는 상대방이 착각하고 있고, 잘못 생각하고 있는 것들을 바꿀 필요가 있었는데 이미 이런 상황이 몇 달간 지속되었다보니 단순히 대화를 통해서 상대방의 생각을 바꾸기에는 무리가 있어보였다. 그렇기 때문에 조금 더 강하게 표현을 하거나 상대방이 전혀 예상하지 못한 행동을 해서 충격을 줄 필요가 있었다. 평소보다는 다툴 때가 가장 충격을 주기 좋은 상황인 것 같아 보여 컨설팅 이후부터는 다툴 때도 이전과는 다른 모습을 보여주고 상대방이 예상하고 있는 것과는 다른 태도를 보이기로 한 것이다. 또한 그동안 다툴 때 마다 잘잘못을 떠나 내담자분이 사과를 하고 풀어줬으니, 이제는 상대방이 잘못했을 땐 절대로 먼저 사과를 하거나 풀어주지 않도록 해서 상대방이 예상하고 있는 것과는 다르게 행동할 수 있다는 충격을 주기로 한 것이다. 혹시나 상대방이 더 세게나오거나 연락을 피하더라도 단호하게 행동하고, 서로의 관계에 대해 생각이 많다는 식으로 언급해 상대방을 언제든 떠날 수도 있다는 위기감을 느끼게 하도록 했다. 그동안 다툼이 있을 때마다 내담자분이 보였던 모습이 있다보니 상대방은 내담자분이 어떻게 말하고 어떻게 행동할지 모두 예상하고 있었는데 상대방도 마찬가지로 항상 해오던 대로 행동하다보니 이후에 어떻게 반응할지 쉽게 예측할 수 있었다. 그렇게 컨설팅을 진행한 후에 얼마 지나지 않아 다툼이 있었고, 내담자분은 나에게 연락을 해왔는데 내담자분이 먼저 사과를 하거나 풀어주지 않으니 당황한 상대방은 더욱 세게 나가기로 한 것인지 한동안 연락을 피했다는 것이다. 상대방은 그 며칠사이에 불안감을 느낀 내담자분이 먼저 사과를 할 것이라고 예상했지만 내담자분은 나와 약속을 했던 것처럼 상대방이 먼저 연락을 해올 때까지 연락을 하지 않았다. 내담자분도 상대방이 연락을 해오기까지 며칠간 정말 불안해하고 힘들어했지만 4일이 체 지나지 않았을 때 상대방이 먼저 연락을 해오며 대화를 요청한 것이다. 그러면서도 또 상대방은 자신이 조금 더 세게 나가면 내담자분이 먼저 사과를 할 것이라고 생각했는지 더 세게 나가려는 듯한 모습을 보였지만 오히려 내담자분이 생각이 많다는 식으로 말하며 떠날 것 같은 느낌을 주니 이내 상대방도 무언가 잘못됐다는 것을 느꼈는지 사과를 하고서 내담자분의 말을 들어주기 시작했다는 것이다. 이후에도 다툼이 있을 것 같을 때마다 내담자분은 단호한 모습을 보였고, 평소 행동과 표현에서도 적당히 절제를 하면서 두 사람의 관계는 갑을관계에서 동등한 관계가 될 수 있었다. 여기서 내담자분이 상대방과의 관계를 갑을관계에서 동등한 관계를 만들 수 있었던 것은 내담자분도 언제든 상대방을 떠날 수 있다는 점을 상대방에게 인식시켜주고, 상대방을 위하는 행동과 표현들이 당연한 것이 아니라는 것을 보여줬기 때문이었다. 갑을관계는 한쪽이 갑을관계를 원해서 의도적으로 만드는 경우가 아니라면 자연스럽게 생겨버리는 경우가 많은데 이 사례처럼 스스로 을을 자처하며 갑을관계를 만드는 경우가 정말 많다. 내가 꼭 갑이 되어야할 필요는 없지만 적어도 을이 되지 않고 동등한 관계가 될 수 있도록, 표현을 하더라도 절제를 하면서하고 필요할 때는 조금의 위기감을 느끼게 할 필요가 있다고 말하고 싶다.

– 이론보다는 경험이 중요하다.

P님이 나를 찾아왔을 땐, 연애에 있어서 초보였지만 초보가 아니기도 했다. 무엇이든 열심히 해 좋은 대학에 좋은 직장까지 다니고 있었던 P님은 어려울 수는 있어도 열심히 한다면 무엇이든 결국에는 좋은 결실을 맺을 수 있다고 믿었다. 연애도 마찬가지라고 믿었다. 연애가 어려웠던 P님은 지금까지 그래왔던 것처럼 연애를 공부하기 시작했다. P님에게 있어서 무언가를 공부하는 것은 정말 쉬운 일이었고 자신 있는 일이었다. 서점에 박혀 수십 권의 연애 서적을 읽고 요점을 파악하고, 중요한 부분을 외우며 정말 열심히 공부했다. 연애와 관련된 그럴싸한 이론은 정말 많다. 이론들을 읽다 보면 내가 봐도 감탄이 나올 정도로 신박하고, 완벽해 보이는 이론들도 많다. 거기다 전문 용어처럼 영어를 섞어가며 그럴싸한 이론에 걸맞은 그럴싸한 용어들을 만나다 보면 나도 모르게 연애를 잘할 수 있을 것이라는 자신감이 생기기도 할 것이다. 연애 이론을 정말 열심히 공부했던 P님이 그랬다. 많은 시간을 들여 연애를 공부하다 보니 어느 순간부터는 어느 책을 읽어도 자신이 아는 내용들이 적지 않았다. 이 정도면 충분하다는 확신이 든 P님은 연애를 정말 잘할 수 있을 것이라는 자신감이 생겼다. 좋은 직장을 가지고 있어 소개팅이 끊이지 않았던 P님은 소개팅을 할 때마다 결과가 좋지 않았다. 주선자에게서 들려오는 상대방의 후기는

"나쁘지 않았다."였지만 에프터는 없었다. 나쁘지 않았지만 좋지도 않았던 것이다. 연애를 공부할 만큼 공부해 자신감을 얻은 P님은 다시 소개팅을 잡았다. 이전과는 다를 것이라는 기대감으로 가득 찼고, 여자친구를 사귈 수도 있다는 생각은 P님을 설레게 했다. 소개팅 당일, 머릿속으로 모든 상황을 시뮬레이션하고 준비했던 P 님은 모든 것이 완벽하다고 확신했다. 상대방을 만나기 전까지는 그랬다.

상대방을 만나 처음 인사를 나누고 서로에 대한 몇 마디를 나눌 때까지는 스스로 변했다는 것을 느끼고 대화가 잘 풀리는 것처럼 느껴졌지만 얼마 못 가 머릿속은 하얘졌다. 더 이상 할 말이 없어지고 정적이 찾아온 것이다. 한번 당황하기 시작하니 일은 점점 더 꼬이기 시작했다. 음식을 먹다가 음식물이 입에서 **튀어나오는가** **하면** 횡설수설하며 하지 않아야 할 말도 하게 됐다. 시작은 좋았던 소개팅 자리는 점점 불편해졌고, 의미 없는 대화와 상대방의 어색한 대답만 오고 갈 뿐이었다. 결과는 뻔했다. 자신만만했던 P 님은 자신의 바보 같은 실수에 자책하고, 바뀐 것이 없다는 것에 망연자실했다. 무엇이 문제였는지 고민하고 분석하려 했지만 도저히 이해가 되지 않았다. 그렇게 나를 찾아온 P님은 분명 연애 초보였지만 초보가 아니기도 했다. 이론이 너무 빠삭했다 보니 상담을 진행하면서 상황을 분석하고 설명해 줄 때도 이미 아는 내용인 것처럼 금방 이해하고 전혀 어려워하지 않았다. 하지만 문제는 경험이 없어도 너무 없었다는 것이었다. 연애와 관련된 이론을 많이 알고 있다면 분명 도움이 되는 것은 사실이다. 상대방의 심리를 짐작하며 행동하고 여러 변수를 미리 예측하고 준비할 수도 있을 것이다. 하지만 경험 없이 이론뿐이라면 이 이론은 말 그대로 이론에 그칠 뿐인 것이다. 현실에서는 이론과 다르게 예측할 수 없는 수많은 변수를 마주하게 된다. 가령 상대방의 성격이나 상황, 기분에 따라도 많은 것이 급변할 것이고, 날씨나 방문한 식당의 맛과 서비스도 예측할 수 없는 변수가 될 수 있을 것이다. P님의 경우엔 상대방과의 대화코드가 그다지 잘 맞지 않는다는 것이 변수였다. P님이 상대방에게 질문을 했을 때 상대방은 건조한 대답만 할 뿐 되물어준다거나, 적극적으로 대답을 하지도 않았던 것이다. 그렇다 보니 대화는 잘 이어지지 않았고 이내 할 말이 없어진 것이다. 연애를 하고 싶다는 욕구가 강했던 P님은 다행히 부지런하기도 했다. 그래서 연애 이론 전문가가 될 정도로 연애를 열심히 공부했던 것이다. 다만 방향성이 조금은 잘못됐던 것이 너무나도 아쉬울 뿐이었는데 P님은 연애를 하고자 하는 강한 욕구와 부지런함을 가지고 있었기 때문에 큰 어려움 없이 빠르게 개선될 것으로 보였다. P님에게 부족했던 것은 단 한 가지. 경험이었기 때문에 같은 실수를 반복하고 결과가 좋지 않아도 괜찮으니 무작정 부딪히며 많은 경험을 할 것을 제안했다. 그 과정 속에서 무너질 것같이 힘들기도 할 것이고 많은 의문이 생기기도 하겠지만 연애를 '경험'할 것을 강조했다.

이론만큼은 빠삭했던 P님은 시간이 지나 어떻게 됐을까?

- 자기관리는 선택이 아닌 필수다.

평범한 대학생이었던 U님의 지난 삶은 지극히 평범했다. 학교에서 강의를 듣고, 동기들과 PC방에 가거나 당구장을 가는 것이 일상이었다. 어쩌다 기분을 내고 싶은 날엔 술집을 가거나 노래연습장에 가는 것이 전부였다. U님은 우리 주변에서 정말 흔하게 볼 수있는, 말 그대로 평범한 대학생이었다. 다만 U님의 삶에는 연애는커녕 여자 자체가 없다는 것이 문제였다. 하지만 U님 스스로는 자신의 삶에 여자가 없다는 것을 전혀 신경 쓰지 않았는데 그것도 신세계를 맛보기 전까지만이었다. 한 명이 갑자기 약속을 취소하게 되는 바람에 머릿수를 채우기 위해 과팅에 참가하게 된 것이었다. 이전까지는 U님 스스로도 과팅에 관심이 없기도 했지만 딱히 이성에게 어필이 되는 성향은 아니었다 보니 참가를 할 기회가 없었던 것이다. 반쯤은 강제로 참가를 하게 되었지만 U님에게 있어서 그날은 평생 잊지 못할 강렬한 기억이었다고 한다. 처음 본 이성과 술을 마시고, 게임을 하며 즐기는 것이 이전에는 상상도 못할 신선한 자극이었던 것이다. 그 이후로 자주 참가하지는 못했지만 과팅이 있다면 꼭 참가하기를 희망했다. 인간의 욕심은 끝이 없다고 했던가. 처음에는 과팅에 참가하는 것 자체만으로도 행복하고 즐거웠던 U님은 과팅을 통해 이성을 만나는 것을 기대하게 된 것이다. 과팅에 참가를 할 때마다 매번 정말 재미있는 경험이었지만 유감스럽게도 과팅에서 U님이 주목을 받거나 로맨스의 주인공이 된 적은 한 번도 없었다. 이성을 만나고 싶다는 갈망이 커진 U님은 함께 과팅을 나갈 때마다 인기가 많았던 동기에게 도움을 청해보았고, 동기의 조언대로 행동했지만 크게 도움이 되지는 않았다. 똑같은 말과 행동을 해도 동기가 했을 땐 임팩트가 있어 보였지만 U님이 했을 땐 아무도 반응을 보이지 않기도 했다. 이성을 만나고 싶다는 갈망이 너무나도 컸던 U님은 스스로도 방법을 찾아 나섰고 그렇게 방법을 찾다 결국 나를 만나게 된 것이었다.

U님을 만난 나는 대화를 제대로 해보기도 전에 어떤 문제가 있는지 알 수 있었는데 우선 U님은 자기 관리를 전혀 하지 않았다. 단순히 잘났다 못났다의 문제가 아니라 자기 관리를 하지 않는 것이 눈에 띌정도였다. 헤어스타일은 자신에게 어울리는 스타일을 손질했다기보다는 길이가 길면 아무렇게 커트를 하는 정도였고, 피부는 관리를 하지 않아 딱 봐도 건조한 게 보였다. 옷 같은 경우에도 도서관에서 편하게 공부를 하다가 나온 것 같아 보이는 차림이었는데 과팅을 나갈 때도 큰 차이가 없었다고 한다. 이렇게 전혀 자기 관리를 하지 않는 남자에게 어떤 여자가 호감을 갖겠는가? 아무리 외모로 사람을 판단하는 것이 잘못됐다고 하더라도 자기 관리를 하지 않는다는 것은 자연스럽게 그 사람이 게으르거나 어떤 문제가 있을지도 모른다는 선입견을 가지게 만들기 때문

에 최소한의 자기 관리는 필요하다는 것이다. 다행히 U님의 경우
엔 말을 못 한다거나 성격이 모난 경우는 아니었다 보니 다른 무
엇보다도 자기 관리를 하며 외모만 개선해도 많은 변화가 있을 것
같아 보였다. 이렇게 간단한 문제였지만 U님은 자기 관리를 하지
않는 자신과 다른 남자들 사이에 큰 차이가 있지는 않다는 안일
한 생각을 가지고 있었다 보니 이것이 문제라는 것을 전혀 생각
지도 못했던 것이었다. 마찬가지로 동기의 조언대로 행동했지만
큰 효과가 없었던 것도 동기의 매력과 이미지에 잘 맞는 방법을
조언이라고 제안했던 것이었다 보니 U님에게는 맞지 않았던 것이
었다. 만약 U님이 나를 찾아오지 않아 원인을 파악하지 못하고 자
기 관리를 소홀히 하며 또 다른 주변 지인들의 조언들만 따라다녔
다면 정말 먼 길을 돌고 돌아 정답을 찾게 되었거나 이전과 다르
지 않은 삶을 살았을 것이다.

U님에게는 이성에게 매력적으로 보이기 위해 어떻게 행동해야 한
다는 행동 지침보다는, U님이 가지고 있는 문제점을 해결해야 한
다는 것이 우선이었는데 그것이 자기 관리였던 것이다. 자기 관리
의 필요성을 깨달은 U님은 나의 제안을 따라 자신에게 어울리는
헤어스타일을 찾아 손질을 하고 다녔고, 자신의 체형을 고려해 잘
어울리는 스타일로 옷을 입었다. 거기다 피부관리를 통해 피부톤
을 정돈하면서 운동도 함께 하게 되었다. 이전과 비교했을 때 U
님은 완전히 달라져있었고 누가 봐도 자기 관리를 소홀히 하지

않는 사람 같아 보였다. 다행히도 이성 앞에서 굳어버린다거나 말을 못 하는 성향은 아니었다 보니 자기 관리를 하는 것만으로도 변화가 생기기 시작했는데 당연하게도 단번에 연애를 잘하게 되는 것은 아니었다 보니 곧바로 연애를 하지는 못했다. 하지만 이렇게 조금씩 생기는 변화와 달라지는 여자들의 태도는 점점 U님에게 자신감을 불어넣어 줬고 얼마 지나지 않아 연애를 하게 되었다고 한다. 그렇게 더 이상 U님은 나를 찾아오지 않았는데 2년이 지난 뒤인 최근 고마움을 표현하기 위해 나를 찾아왔다. 그 연애 이후로도 U님은 몇 차례의 연애를 더 하게 되었는데 연애를 할수록 자신만의 연애스타일이 확고해져 자신감과 여유가 생기면서 연애가 더욱 쉬워졌고, 주변 지인들의 연애 상담까지도 해줄 정도로 성장했다는 것이다. 저마다 연애가 어려운 이유가 다르지만 근본적인 원인을 파악하지 못한 채 다른 방법을 찾는다면 도움이 되지 않거나 임시방편에 그칠 것이다. 그렇기 때문에 연애가 어렵다면 무엇이 문제인지 객관적으로 볼 수 있어야 하며 근본적인 원인을 파악해야 한다고 말하고 싶다.

- 헌팅포차

일상에선 방어적이던 사람들도 헌팅포차에서는 모두 개방적인 사람으로 바뀌고, 새로운 이성을 얼마든지 만날 수 있다는 점에서 헌팅포차는 정말 매력적이라고 볼 수 있다. 과거에서 현재까지 헌팅포차의 트렌드는 계속 바뀌었지만 헌팅포차에 방문하는 사람들의 목적이나, 대체로 남성이 여성에게 먼저 다가간다는 점은 변함이 없다. 최근엔 컨설팅을 위한 답사의 목적으로 헌팅포차를 방문해 보거나 모임, 소개팅 어플들을 설치해보기도 하는데 이 헌팅포차에 대한 나의 생각들을 말해보고자 한다.

헌팅포차에는 정말 다양한 사람들이 모이는데 대부분은 20대 초중반으로 주를 이룬다. 목적은 모두 같지만 이 목적을 이루기 위한 방식이 저마다 다른데 정말 재미있는 점은 대부분은 굉장히 미숙하고 어설프다는 점이다. 예를 들어 대부분의 남성들은 마음에 드는 여성을 찾기 위해 두리번거리는데 개활지의 미어캣이 따로 없다. 혹여나 여성이 지나가기라도 한다면 홀린 듯 눈길이 따라가는데 사실, 여성들의 눈에는 두리번거리는 것도, 눈길이 따라오는 것도 모두 보인다. 이런 모습들은 자연스럽게 여성에 안달 난 모습처럼 보이게 되는데 아무리 남성을 만나기 위해 헌팅포차에 간 여성이라도 이렇게 안달 난 남성을 매력적으로 보지는 않는다. 어떤 사람들은 두리번거리거나 눈길이 여성을 따라다니지는 않지만 어떻게든 헌팅을 하기에 급급한 것이 온몸에서 티가 나는 사람들도 있다. 분명 친한 친구와 좋은 추억을 만들기 위해 헌팅포차에 방문한 것일 텐데 친구와는 단 한마디도 나누지 않으며 비장한 태도로 앉아 있다가 여성에게 말을 걸 때만 입을 여는 것이다. 이런 태도는 표정과 분위기에서 모두 드러나기 때문에 굉장히 조급해 보인다. 아무리 헌팅을 하러 간 것이라고 하더라도 급할 필요는 없다. 급해봐야 상대방에게도 급한 게 티가 날 뿐이고, 그날의 재미를 잃게 될 뿐이다. 그러니 차라리 자리에 앉아있을 땐 두리번거리거나 여성만을 기다리기보다는 헌팅에 전혀 관심이 없는 것처럼 행동하며 함께 간 친구와만 재미있게 대화를 나누다가 마음에 드는 여성이 생기면 그때만 움직이는 것을 추천하고 싶다. 친구와 편하게 대화를 하다 보면 텐션이 자연스럽게 오르고 여유가 생기는데 여성이 보기에도 헌팅이 조급해 보이는 사람보다는 재미있게 대화를 하며 여유 있어 보이는 사람이 더 매력적으로 느껴지기 때문이다.

마음에 들지 않는 남성이 말을 걸었을 때 여성들이 거절을 하는 방식은 대개 비슷하다. 흔히들 진지한 얘기를 하고 있다며 거절을 하거나, 남자친구가 있다는 식으로 거절을 하는데 이때 몇몇 사람들은 이런 데서 왜 진지한 얘기를 하느냐고 되묻거나 남자친구가 있는데 이런 곳은 왜 왔냐며 상대방이 거절을 한 이유가 거짓말일 것이라고 생각해 질척거리는 모습을 보이곤 하는데 거절을 한 이유가 진실이든 거짓이든 거절은 거절이다. 거기서 더 말을 붙여봐야 상대방의 마음은 바뀌지 않는다. 차라리 다른 여성이 그 모습을 보기 전에 빨리 그 자리를 뜨는 게 더 나을 것이다. 조금 더 이런 상황에 익숙한 여성들은 직설적으로 거절을 하기도 하고, 휴대전화를 보거나 아예 없는 사람인 것처럼 대화를 무시하기도 한다. 대부분은 무안해서라도 자리를 뜨지만 여기서 혹시나 하는 마음으로 끝까지 앉아 있는 사람이 있는데 거기서 물구나무서기를 해도 거절은 거절이다. 거절을 당했는데 눈치까지 없다면 그보다 미련한 것은 없을 것이다. 헌팅포차에서 거절을 하고, 거절을 당하는 것은 정말 당연한 일이니 상대를 미워하지도, 상처를 받지도 말자.

이성에게 말을 걸 때도 눈치는 필요하다. 앞서 언급한 것처럼 헌팅이 급급한 남성들은 여성이 술집에 들어와 주문을 하고, 자리에 술이 나오기 도전에 말을 걸곤 하는데 정말 바보 같은 행동이라고 말하고 싶다. 헌팅포차에 방문하는 여성 남성들이 자신에게 말을 걸 것이라는 것을 정말 잘 알고 있다. 그렇기 때문에 남성들보다 더 여유 있게 있을 수 있는 것인데 여성들의 입장에서는 합석을 해서 술을 마시더라도 당연히 그 술집에서 가장 나은 남성과 합석을 하고 싶을 것이다. 그런데 술집에 갓 들어왔다면 아직 술집에 어떤 남성이 있는지 제대로 확인하지도 못했을 것이다. 그렇다 보니 어느 정도 괜찮은 남성이 말을 걸어도 최선의 선택이라는 확신이 없으니 더 둘러보려는 마음으로 거절을 할 수도 있다는 것이다. 다시 말해 여성이 술집에 들어온 후에 어느 정도 둘러보기 전까지는 웬만해서는 거절을 할 확률이 높다는 것이다. 그러니 어느 정도 시간이 지나고 다른 조급한 사람들이 거절당할 때까지는 기다리는 게 더 현명할 수 있다는 것이다. 급할 필요는 전혀 없다. 여유를 갖고 조금 더 현명하게 행동하자. 여성에게 다가갈 때도 다른 남성이 직전에 왔다 갔다면 시간 텀을 조금이라도 두는 것이 좋다. 인기가 많은 여성이라면 다른 남성에게 뺏길까 걱정이 될 수도 있겠지만 텀을 두지 않고 바로 다가간다면 상대방도 지치니 무작정 거절을 해버릴 수도 있을 것이다.

헌팅포차를 즐기는 사람들의 입장에서는 굉장히 기분 나쁜 말일 수 있겠지만 사실 헌팅포차에는 알파메일보다는 베타메일이 더 많다. 조금 더 직설적으로 말하자면 매력적인 남성보다는 도태된 남성이 더 많다는 것이다. 그렇다 보니 헌팅포차를 방문하면 여유 있고 매력적인 남성보다는 조급하고, 고만 고만한 남성들이 더 많이 눈에 띈다. 여기서 악순환이 시작되는데 여성들도 헌팅포차에는 베타메일이 더 많다는 것을 인지하게 되면서 '헌팅포차에는 잘생긴 남자가 없다.'는 인식이 생기게 된 것이다. 헌팅포차에는 매력적인 남성이 없다고 생각하게 되니 매력적인 여성들도 헌팅포차에 가야 할 이유가 없어진 것이다.

– 연애를 너무 어렵게 생각하지 말자.

최근 '나는 솔로' 12기가 끝나고 13기가 시작되었다. 평소 '나는 솔로'를 즐겨보는 편인데 최근 12기는 모태 솔로 특집이다 보니 더욱 재미있게 시청했던 것 같다. 왜 지금까지 연애를 못했는지 납득이 될 정도로 모두 각자의 원인들이 눈에 띄게 보였는데 그중에서도 나는 '광수'가 유난히도 더 눈에 많이 들어왔다. 다른 출연자들은 각자 한 두 가지의 단점이나 원인들을 가지고 있었지만 광수 같은 경우엔 연애를 못하는 사람들이 가지고 있는 특징들을 골고루 가지고 있었기 때문이었다. 특히나, 혼자서 북치고 장구치고를 다하며 혼자만의 시나리오를 쓰고 고통 받는 모습이 자주 비치어졌는데 이 모습은 연애 경험이 적은 사람들의 전형적인 모습이었다. 보통 연애 경험이 아예 없거나 처음인 사람이 '나는 솔로'의 광수처럼 과하다 싶을 정도로 생각이 많거나 혼자서 앞서나가는 경향이 있다. 그러면서 지나치게 의미부여를 하는 경우도 있는데 대개 이런 부분들은 연애에 있어서 악영향을 끼치는 경우가 더 많다.

그 예로 생각이 너무 많아 오히려 아무것도 할 수 없었던 K님의 사례에 대해 이야기해보겠다. K님은 20대 후반이었는데 연애 경험이 아예 없지는 않았지만 2번 정도의 연애가 고작이었다 보니 연애 경험이 아예 없는 것과 크게 다를 것은 없었다. K님이 나를 찾아왔을 때 K 님의 고민은 생각이 너무 많다는 것이었다. 잘하고 싶은 마음에 사소한 것부터 하나하나 고민을 하고 신중해지다 보니 오히려 아무것도 못하게 되거나 상대방이 답답하게 느꼈다는 것이다. 그럼 생각을 조금 덜 하면 되지 않느냐는 질문에는 이성과 있을 때는 실수를 하지 않으려는 마음이 생기다 보니 자신도 모르게 그렇게 된다는 것이었다. 거기다 생각이 생각을 부른다고, 생각이 너무 많다 보니 상대방의 사소한 행동 하나에도 의미부여를 해버리는 것이었다. 예를 들어 상대방이 카카오톡 답장이 빨랐다가도 잠깐이라도 늦어진다면 상대방이 자신에게 더 이상 관심이 없다고 걱정하거나, 상대방이 아무 생각 없이 커피를 사준다면 이미 연애를 하고 있다고 착각하며 의미부여를 해버린 것이다. 이렇게 의미부여를 하는 것의 문제는 상대방의 행동에 따라 의미를 부여하다 보니 감정기복이 생겨 상대방은 아무 생각이 없는데 혼자서 고통 받다 지쳐버릴 수 있다는 것이다.

사실 이런 마음가짐이나 생각의 문제는 스스로가 의지를 가지고 개선해야 하는 부분이다 보니 제3자가 해결을 돕기는 굉장히 어려운 부분이 있다. 보통은 연애 경험이 쌓이면서 생각을 많이 할 필요도 없고, 의미부여를 할 필요도 없다는 것을 자연스럽게 깨닫게 되는데 그 과정이 다소 힘들 수 있다 보니 이 시기에 많은 사람들이 상처를 받기도 한다. 가장 좋은 것은 상대방과의 관계도, 연애도 간단하게 생각하면 되는 것이지만 말처럼 쉽지는 않다. 그래서 K님에게 생각이 많은 것은 대부분 걱정에서 오니 상대방과 연락을 하거나 만났을 때 걱정이 앞서고 생각이 많아지더라도 입 밖으로 걱정을 하고 있다는 것을 꺼내지 않으며, 머릿속으로는 **의미부여를** 하게 **되더라도** 의미부여를 하고 있다는 것을 절대로 티를 내지 **말아 보자고** 제안했다. 생각이 많아지는 것을 방지하거나 의미부여를 하는 것을 멈추게 만드는 것은 아니기 때문에 문제의 직접적인 해결책이라고 생각하기는 어려울 것이다. 하지만 이런 문제들을 티내지 않으면 상대는 모를 것이고, 관계는 큰 문제없이 유지될 수 있으니 K님이 나아질 수 있는 기회와 시간을 벌 수 있을 것이라고 생각했다. K님은 내가 제안한 것을 최대한 따르려고 노력했다고 한다. 하지만 생각이 많아지는 것은 거의 습관에 가깝다 보니 계속해서 생각은 많아지고 의미부여를 하게 되었는데 자신도 모르게 습관처럼 입 밖으로 나오거나 의미부여를 하다가 또 갈팡질팡하는 모습을 보였다고 한다. 하지만 스스로도 티를 내지 않으려 하며 참았고, 계속 신경을 쓰고 있으니 생각은 여전히 많더라도 티가 나는 것은 조금씩 줄어들었다고 한다. 그러면서 어느 정도 익숙해질 때쯤 이런 걱정을 하든 안 하든 상대방과의 관계에는 아무 문제가 없고 오히려 걱정이 많아 굳어있거나 티가 나는 게 더 문제를 만들 가능성이 높을 수도 있겠다는 생각이 들었다고 한다. 그 뒤로는 크게 코칭을 해줄 필요는 없을 것 같아 계속 유지하며 더 경험해 볼 것을 추천했는데 K님이 내가 제안했던 것을 유지하며 연애경험을 늘려갔다면 분명 고민이 해결되었을 것이다.

– 자기 객관화를 잘하는 방법

이번 사례는 자기 객관화가 너무 잘 돼서 나의 도움이 필요 없었던 J님에 대한 사례이다. J님이 나를 찾아온 이유는 여느 내담자분이 그렇듯 어떤 문제가 있어서라거나 연애에 대한 고민이 있어서는 아니었다. J님이 나를 찾아와 처음 한 말은 "무언가 더 부족한 것이 있다면 그것이 무엇인지 알고 싶다."였다. 자신에게 부족한 것이 있는지 나에게 물은 것이었는데 나를 찾아왔던 J님의 첫인상은 '적어도 외모에 있어서는 큰 고민이 없을 것 같다.'였다. 다시 말해 이성에게 매력을 어필하기에 문제가 없어 보였다는 것인데 외모에는 큰 문제가 없어 보이니 J님과 대화를 통해 혹시나 어떤 문제나 단점이 없는지를 찾아보려 했다. 1시간가량 다양한 대화를 나누며 J님의 습관이나 표현 방식, 리액션, 말투, 표정, 목소리 등을 관찰했는데 정말 재미있는 것은 사소한 습관 말고는 크게 문제가 될만한 것은 없어 보였다는 것이었다. 그 습관조차도 크게 신경이 쓰이지 않거나 취향에 따라 오히려 매력적이라고 느낄 수도 있을 만한 습관이었다. 1~2시간 동안 대화를 하며 봤던 J님은 외모에도, 성격에도 큰 문제가 없고 오히려 매력적으로 보이기에 충분할 정도로 자기 관리가 잘되어있는 사람이었던 것이다.

나에게 도움이 전혀 필요하지 않아 보였던 J님에게 나를 찾아온 이유를 물어보았다. J님은 평소 자기 관리를 철저하게 하는 편인데 그 이유가 어디에서 무시를 당하기도 싫고, 항상 이기고 싶어서라는 것이다. 그렇다 보니 자연스럽게 자기 관리를 열심히 하게 되었는데 어느 순간부터는 무엇을 더 해야 할지가 고민이었다는 것이다. 분명 자기 자신이 완벽하지도 않았고 어딘가 부족함이 있다는 것은 알았지만 그게 무엇인지를 모르겠다는 것이었다. 그러다 우연히 연애 프로그램인 '솔로 지옥 1'을 시청하게 되었는데 솔로 지옥에 출연자 중 한 명에게서 자신에게 무엇이 부족한지를 찾을 수 있었다는 것이다. 솔로 지옥이라는 방송 자체가 아주 매력적인 남녀를 출연자로 섭외하는 것이다 보니 J님이 자신과 비교하며 부족함을 찾기에 정말 좋은 방법이 될 수 있었던 것이다. 솔로 지옥을 시청하며 자신이 원하는 이미지를 가진 출연자를 보며 어떻게 말하고, 어떤 태도로 이성을 대하는지 유심히 관찰하고 외형적으로 보이는 이미지(체형, 옷 등)가 얼마나 중요한지도 고민하며 자신의 것으로 만들었다는 것이다. 이후로도 연애 프로그램뿐 아니라 어느 매체에서든 자신의 자기 객관화에 도움이 될만한 사람이 있다면 자신과 비교하며 부족한 점을 찾아 개선하려 노력을 했다고 한다. J님은 이미 자기 관리를 잘하고 있었기 때문에 이 부분에 있어서 내가 J님에게 해줄 수 있는 말은 없어 보였다. 다만 아직까지는 J님이 정말 적당하게 잘하고 있었지만 혹시나 과해진다면 오히려 자존감이 낮아지는 원인이 될 수 있을 것 같아 우려가 됐다. 아무래도 나보다 잘났다고 생각하는 사람과 자신을 비교하는 행위이다 보니 자신의 단점을 계속 확인하다 보면 자존감이 낮아질 수 있고, 혹여나 자신이 따라갈 수 없다고 느낄 정도로 잘난 사람을 만나 한계를 느끼게 된다면 그것도 문제가 될 수 있기 때문이다. J님에게는 지금까지는 정말 잘하고 있으니 지금처럼 하되 과해지지만 말고 또 가끔은 휴식을 할 수 있도록 조절만 잘했으면 한다는 말을 전했다. J님이 자기 객관화를 통해 부족한 점을 개선하기 전엔 어떤 분이었을지 알지는 못하지만 적어도 내가 직접 만나보았던 J님은 정말 매력적으로 보였다고 할 수 있을 것 같다.

- 분위기가 사람을 달라보이게 만든다.

두 사람이 똑같은 헤어스타일과 패션스타일로 꾸며도 그 사람에게서 풍겨지는 분위기에 따라 다르게 보일 수 있기 때문이다. 물론 사람마다 체형, 생김새도 다르기 때문에 거기서 오는 분위기의 차이도 있겠지만 정말 재미있는 점은 한 사람이 똑같이 꾸며도 분위기에 따라 다르게 보일 수 있다는 점이다. 한 예로 매일을 꾸며야 하고 사람들 앞에 서야 하는 직업을 가졌던 H님의 이야기를 해보겠다. 일을 할 땐 매일을 꾸미며 사람들 앞에 섰는데 개인사정으로 2달간 휴직을 하게 되었다고 한다. 휴직을 하게 되며 사람들을 만나기보다는 집에 머무르는 시간이 많았는데 그렇다 보니 자연스럽게 꾸밀 일도, 사람들 앞에 설일도 줄어들게 된 것이다. 복직을 고려해 휴직 중에도 이전과 같이 운동을 하고 자기 관리를 하며 2달을 보냈는데 2달 뒤 복직을 했을 때 정말 의아한 일이 일어난 것이다. 분명 이전과 똑같이 자기 관리를 했기 때문에 변한 것은 없었고, 꾸미는 방식도 이전과 같았기 때문에 사람들의 평가는 다르지 않아야 하는데 평가가 이전과는 달라졌다는 것이다.

이전엔 분명 잘생겼다, 눈에 띈다, 화려하다는 평가를 받았는데 복직을 한 뒤엔 초췌해졌다거나 잘생겼긴 하지만 무언가 이전보다는 덜한 것 같다는 평가를 받게 된 것이다. 무엇이 달라진 것일까? 이전과 똑같이 관리했고 꾸몄기 때문에 외모나 체형, 스타일 등 모든 것이 그대로였을 것이다. 하지만 사람들의 평가가 달라진 이유는 H님의 분위기가 달라졌기 때문이었던 것이다. 이전에는 매일 사람들 앞에 서야 했기 때문에 자연스럽게 사람들이 선호할 만한 표정과 제스처를 보였지만 휴직을 한 기간 동안은 그럴 필요가 없었다 보니 사람들이 선호할 만한 표정과 제스처보다는 H님 스스로가 더 편한 표정과 제스처에 익숙해졌는데 이런 요소들이 H님의 분위기를 바꾸어 놓은 것이다. 결국 똑같은 사람이 똑같은 컨디션을 가지고 똑같이 꾸며도 여유나 표정, 태도, 제스처 등에서 오는 요소들에 따라 더 눈길이 가는 분위기를 풍길 수도 있고, 덜 눈길이 가는 분위기를 풍길 수도 있다는 것이다. 쉽게 말해 H님의 주변 환경이 바뀌면서 H님을 더 매력적으로 보이게 만드는데 도움이 되는 생활 패턴들이 사라진 것인데 이 점들이 H님의 분위기를 바꾸어 놓은 것이다.

H님의 경우엔 환경이 바뀌며 매력적으로 보였던 분위기를 잃었지만 반대로 본다면 조금 덜 매력적으로 보일 수 있는 사람도 환경을 바꾼다면 매력적으로 보이도록 분위기를 바꿀 수 있다는 것이다. 그렇다면 매력적으로 보이는 분위기는 어떤 것일까? 나는 디테일의 차이에서 달라질 수 있다고 말하고 싶다. 정말 드라마틱한

큰 차이보다는 표정이나 제스처, 말투, 여유, 억양 등에서 차이를 만들고 이 차이가 특유의 분위기를 만들 수 있는데 H님의 경우엔 매일 꾸미며 사람을 대하다 보니 자연스럽게 낯선 사람을 대하는 것이 익숙해진 것이다. 여기서 오는 여유는 H님을 더 여유롭게 만들어 줬지만 휴직을 하며 짧지 않은 기간을 혼자만의 시간을 보내며 낯선 사람들을 대하지 않다 보니 그 여유가 사라진 것이다. 복직을 하며 이내 돌아올 여유였지만 잠시나마 사라졌던 여유는 H 님을 굳게 만들었고, 여유에서 오는 다양한 이점들이 사라져 H님의 분위기를 평범하게 만든 것이다. 따라서 환경에 따라 분위기가 달라 보이도록 만들 수 있는데 매력적으로 보이는 분위기를 만들기 위해서는 스스로를 꾸민 상태에서 가까운 지인뿐 아니라 새로운 사람들을 만날 수 있는 환경에 지속적으로 노출을 시켜야 한다는 것이다. 처음에야 차이가 없겠지만 시간이 지나면서 점점 익숙해지고, 거기서 오는 익숙함이나 여유가 분위기를 바꾸어 놓을 수 있기 때문이다. 이를 모두 관통하는 공통점은 경험과 여유가 될 수 있을 것이다.

- 상대방의 태도는 당신의 태도에 달려있다.

데이트를 할 때, 건강한 관계라면 일방적으로 한쪽에서 모든 데이트 비용을 결제한다기보다는 서로 번갈아가면서 결제를 하거나, 더 여유 있는 쪽이 조금 더 쓰며 데이트를 즐기려고 할 것이다. 하지만 건강하지 않은 관계는 한쪽이 일방적으로 데이트 비용을 결제하는가 하면, 일방적으로 선물을 주기도 한다. 보통 이런 상황을 놓고서 받는 쪽에서는 사랑이 아니라 돈을 위해 이용한다고 보기도 하는데 서로 진심으로 사랑하는 관계라고 하더라도 이런 상황은 어렵지 않게 볼 수 있다. 또, 전체적인 비율로 따진다면 남성의 비율이 더 높지만 성별에 무관하게 남성, 여성 할 것 없이 이런 상황을 겪기도 하는데 만약 당신이 과거 이런 경험을 한 적이 있거나, 지금 이런 경험을 하고 있다면 그건 모두 당신의 잘못이라고 말하고 싶다.

간혹 그런 사람들이 있다. "너가 나보다 돈을 많이 버니까 당연히 너가 내야지"라거나 "너가 남자니까 당연히 너가 내야지"라는 식으로 말하는 사람. 데이트비용을 내거나 선물을 사주는 것에 고마움을 느끼기보다는 당연하다고 생각하는 것인데 대개 이런 가치관을 가진 사람들은 아주 잠깐 대화를 하더라도 눈에 보이기 때문에 꼭 직접 만나며 겪어보지 않아도 이런 가치관을 가졌다는 것을 알 수 있다. 하다못해 같이 커피를 마시거나, 밥을 먹어봐도 결제를 할 때 어떤 태도를 보이느냐로 확인할 수 있을 것이다. 그렇기 때문에 만약 이런 가치관을 가진 사람이 싫고, 자신과 맞지 않는다고 판단된다면 만나지 않으면 되는 것이다. 상대방의 가치관이 이렇다는 것을 알면서도 상대방을 만난다면 그땐 상대방의 잘못이 아니라 알면서도 만난 나의 잘못일 것이다.

 이처럼 상대방이 원래 그런 가치관을 가졌고, 그 가치관이 나와 맞지 않다면 거리를 두면 되니 문제가 없지만 진짜 문제는 연애 초기에는 그렇지 않았던 상대방이 연애를 하면서 바뀌었을 때일 것이다. 연애 초기에는 데이트 비용을 결제할 때 보태려 하거나 자신이 내려하기도 하고 얻어먹더라도 미안해하는 모습을 보이곤 했던 상대방이 시간이 지나며 점점 당연하게 생각하는 모습을 보이기 시작하는 것이다. 보통은 이런 상황에 대해 상대방이 원래 그런 사람이었다며, 모든 잘못은 상대방에게 있는 것처럼 상대방을 비난하곤 하는데 꼭 그렇지만은 않다. 상담을 진행하며 "데이트 비용을 매번 저만 결제하는 것 같아서 점점 비용이 부담스러워져요"라는 고민을 가진 분들을 적지 않게 뵙게 되는데 이런 고민의 원인은 십중팔구 내담자분들이 연애 초기 상대방이 돈을 못 쓰도록 하거나, 내담자분이 돈을 내는 상황이 당연하도록 만들었다는 데 있다.

다시 말해 상대방이 원래 그런 사람이었다기보다는 상대방이 데이트 비용을 결제하려 하면 그러지 못하게 하거나, 시도 때도 없이 선물을 하는 식의 상황을 반복하다 보니 내담자분 스스로가 상대방이 돈을 쓰지 않고, 선물을 받는 상황을 익숙하게 만들었다는 것이다. 물론, 이런 상황을 당연하게 생각하는 것도 바람직하지는 않지만 초기부터 태도를 확실히 했다면 이런 일이 일어나지는 않았을 것이다.

결국, 상대방이 돈을 쓰지 않고 선물을 받는 상황을 익숙하게 만들어버린다면 원래는 그렇지 않은 사람이어도 자신도 모르게 당연하게 느끼게 될 수도 있다는 것인데 정말 많은 사람들이 이 사실을 알면서도 비슷한 실수를 하곤 한다. 하지만 해결책은 생각보다 정말 간단하다. 상대방이 당신에게 마음을 쓸 기회를 주면 되는 것이다. 좋아하는 감정이 있으니 더 잘해주고 싶고, 돈을 쓰지 않도록 신경을 써주고 싶은 마음은 정말 좋지만 상대방도 당신을 진심으로 좋아한다면 같은 마음을 가지고 있을 것이다. 그러니 데이트 비용을 같이 결제하려는 모습을 보이기도 할 텐데 그럴 때 한발 물러나 결제를 할 수 있도록 해주는 것이다. 여기서 "만약 상대방이 결제하도록 뒀다가 저를 돈 아끼는 사람으로 보면 어떡하나요?"라는 걱정을 하는 사람들이 정말 많을 텐데 당신이 단 한 번이라도 데이트 비용을 먼저 결제했다면 상대방은 그렇게 생각하지 않을 것이다. 연애 초기에 일방적으로 데이트 비용을 결제하기보다는 상대방도 함께 데이트 비용을 결제하는 상황을 정말 당연하도록 만든다면 시간이 지나도 상대방은 정말 당연하게 생각하기 때문에 같은 고민을 갖게 되지는 않을 것이다.

한 예로 P님의 연애는 어느 순간부터 침몰하는 유람선과도 같았다. 시작은 분명 좋았다. 서로에게 호감을 갖고서 서로를 알아가며 데이트를 했다. 호감은 이내 좋아한다는 감정으로 굳어져 갔고 P님도, 여자친구도 같은 마음이었다. 연인이 됐을 때 둘의 관계에는 아무 문제가 없었다. 여느 커플처럼 데이트를 하고 한쪽이 식사를 사면 한쪽이 카페에서 음료를 샀다. 함께하는 나날이 길어져 갈수록 P님의 감정은 더 깊어져 '내 여자친구가 돈을 아꼈으면 좋겠어.', '여자친구가 힘들 바엔 내가 힘든 게 더 나아.'라는 생각을 갖기에 이르렀다. 한쪽이 식사를 사면 한쪽이 카페에서 음료를 샀던 둘의 데이트는 P님이 "괜찮아, 그냥 내가 살게"라며 데이트 비용 전부를 내면서 한쪽이 식사와 카페 음료 모두를 사는 데이트로 바뀌었다. 스스로가 원해서 했던 선택이기 때문에 P님은 전혀 아깝다고 느끼지 않았다. 오히려 만족했고 뿌듯했다. 사랑하는 여자친구에게는 한 푼도 아깝지 않았던 P님은 50일이 됐을 때, 고마움을 표현하고자 값비싼 목걸이를 선물했다. 여자친구는 너무나도 좋아했고 P님은 만족스러웠다. 그렇게 100일이 됐을 때, P님은 이전보다 더 소중한 날이니 더 값비싼 선물을 하고자 여자들이 좋아한다는 가방을 선물했다. 여자친구는 이전보다 더 좋아했고 P님도 만족스러웠다. 그러던 어느 날 평범한 직장인이었던 P님은 직장 후배에게 밥을 사기 위해 꺼내 들었던 카드의 한도가 초과되었다는 것을 확인한다. P님은 최근 할부로 여자친구의 100일 선물을 사주긴 했지만 한도가 초과가 될 리는 없다고 생각하며 내역을 확인했다. 100일 선물로 구매했던 가방 외에도 그간 데이트를 할 때마다 비용을 지불했다 보니 한도 초과가 되어버린 것이다. 그제야 100일간 너무나도 많은 돈을 사용했다는 것을 깨달은 P님은 여자친구에게 당분간은 아껴야 할 것 같다는 말과 함께 자신의 사정을 설명했다.

P님은 사정을 설명하면 당연히 여자친구가 이해를 해주고, 여자친구가 데이트 비용을 더 지불할 것이라고 생각했다고 한다. 하지만 상황을 이해한다던 여자친구는 막상 데이트 비용을 결제할 때가 되면 지금까지 그래왔던 것처럼 당연히 P님이 결제할 것이라고 생각하는지 화장실을 가거나 먼저 밖으로 나가있었다. 상황을 이해하기는 하지만 비용은 여전히 P님이 내는 것이 당연하다고 생각하고 있었던 것이다. 이에 서운함을 느낀 P님은 서운함을 표현했지만 상황이 크게 달라지지는 않았다. 서운함은 쌓여갔고, 데이트 비용이 부담스럽게 느껴지기 시작하며 둘의 데이트 빈도는 점점 줄어들기 시작했다. 여자친구를 대하는 P님의 태도는 이전과 달랐고, 여자친구도 마찬가지로 P님을 대하는 태도가 달라진 것

같아 보였다. 시간이 지나 둘은 결국 헤어지게 되었는데 P님은 이 연애에서 자신은 잘해줬을 뿐 아무 잘못이 없고, 오로지 상대방에게만 잘못이 있다고 믿으며 자신이 여자친구의 지갑이었다며 상대를 비난했다.

겉으로 봤을 땐, P님의 사정을 이해해주지 못하고 P님이 데이트 비용을 결제하는 것을 당연하게 생각했던 여자친구의 잘못으로 인해 관계가 끝난 것처럼 보이지만 실질적으로 두 사람의 관계가 끝난 것은 데이트 비용 문제가 아닌 데이트 빈도가 줄어들고, 서로에게 소원해졌던 것에 있었다. 다시 말해 데이트 비용에 관한 트러블은 발단이 됐을 수는 있지만 직접적인 원인은 아니었다는 것이다. 나는 두 사람이 데이트 비용 문제로 트러블이 생기고, 서로에게 소원해진 것은 P님에게도 잘못이 있고 여자친구에게도 잘못이 있다고 생각했다. 두 사람 모두 서툴렀던 것인데 P님의 경우엔 연인으로서의 관계가 더 견고해지고 서로에 대해 확실히 알기도 전에 자신이 비용을 내는 것이 당연한 상황을 만들어버렸다. 여자친구가 비용을 내려면 내지 못하게 하고 정성이나 마음이 담긴 선물보다는 점점 더 값비싼 선물을 하며 상대방이 기대를 하게끔 만들었다. 이는 상대방이 처음부터 속물이거나 나빴기 때문이 아니라 그렇게 생각하도록 만든 P님에게도 원인이 있었다는 것이다. 마찬가지로 여자친구의 경우엔 P님의 상황을 듣고도 이전과 똑같은 데이트를 하며 P님의 상황을 배려해주지 않았는데 이는 지금까지 해왔던 P님이 모든 비용을 결제하는 데이트에 익숙해진 것도 있겠지만 P님의 상황을 충분히 고려하고, 진지하게 생각해주지 않은 여자친구의 잘못도 있었던 것이다. 둘 모두 이런 상황에 서툴렀다 보니 어쩌면 대화로도 쉽게 해결될 수 있었던 상황도 서운함을 느끼고, 서로에게 소원해지는 계기가 되어버린 것이다.

7. 에필로그

 나는 다른 연애 교재처럼 연애를 글로 공부하게 만드는 것이 아니라 연애에 대한 간접적인 경험을 주고 싶었다. 연애를 하기 위해 필요한 큰 틀을 잡고 많은 사례들과 예시들을 반복적으로 보여주며 간접적으로나마 연애에 대한 경험을 쌓으며 스스로 생각해보기를 바랐다. 그래서 처음 시작은 평소 연애를 어려워하는 사람들에게 하고 싶었던 말들을 가감 없이 해보자는 생각으로 시작했는데 하고 싶은 말들, 도움이 될 만한 것들은 정말 많았지만 말과 행동으로 보여주는 것이 아니다보니 이들을 어떤 식으로 풀어내야 이해가 더 쉬울지를 가장 많이 고민할 수밖에 없었다. 아무래도 상담을 진행할 때 같은 경우엔 내담자분이 가지고 있는 고민이 있다면 이를 상황에 맞게 대화를 하며 풀면 되는 부분이지만, 시작부터 모든 것을 글로 설명을 하려하다보니 마냥 쉬운 일은 아니었다. 무엇보다 나에게는 쉬울 수 있는 것들이 누군가에겐 너무나도 어렵고 생소할 수 있다는 점들을 간과할 수 없어 자연스럽게 눈높이를 연애가 어려운 사람들의 눈높이에 맞추게 되었고, 완전히 기초부터 순차적으로 하나씩 말해보는 방법을 택하게 되었다. 그렇다보니 몇몇 이번 책에 담기엔 다소 이해하기 어렵거나 응용하기 어려울 것 같은 부분들은 모두 다음을 기약하며 뺄 수밖에 없었는데 전달하고 싶었던 것들을 모두 담지 못해 정말 아쉽지 않을 수 없었다.

연애가 어렵고 연애경험이 적은 사람들에게 아주 조금이라도 도움이 되었으면 하는 마음을 가지고 책을 썼지만 누군가에게는 이 책에서 볼 수 있는 내용들이 이미 알고 있는 내용일 수 있고, 그다지 도움이 되지 않는다고 느낄 수도 있을 것이다. 혹은 어떤 것들은 도움이 되고 어떤 것들은 전혀 도움이 되지 않는다고 느낄 수도 있을 것이다. 연애경험이 많으면 많을수록 더욱 그렇게 느낄 수도 있겠지만 연애 경험이 적을 땐 어디서부터 뭘 해야 할지 전혀 감을 잡지 못하고 어려워하는 경우가 많기 때문에 단 한 가지라도 변화를 위해 시도해볼 수 있는 계기가 있을 수 있다면 정말 눈에 띄게 큰 도움이 될 수 있다. 때문에 이 책에 있는 모든 내용이 쓸모 있을 수는 없겠지만 적어도 한두 가지라도 얻어가는 것이 있다면 그 한두 가지를 통해 많은 것을 얻어갈 수 있을 것이라고 말하고 싶다. 또, 이 책을 읽고 도움이 된다고 생각하더라도 변화를 위해 아무 노력도 하지 않는다면 결국 시간이 지나 이 책을 읽었다는 것을 잊게 될 것이다. 그렇게 되면 아무것도 얻을 수 없겠지만 도움이 된다고 생각한 부분들을 이용하려하고, 연습이 필요할 땐 연습을 해서 나의 것으로 만든다면 더 나은 방향으로 성장할 수 있을 것이다. 과거 내가 그랬던 것처럼 이 책을 읽은 독자들도 하나의 계기를 통해 변화를 모색하고 방향성을 잡아 차츰차츰 연애가 어려웠던 사람에서 큰 어려움 없이 연애를 할 수 있는 사람이 되었으면 한다.

앞서 언급했던 것처럼 하고 싶었던 말들을 모두 하지도 못했고, 조금 더 심화라고 할 수 있는 정보들을 주지도 못했기 때문에 혹시나 이해가 되지 않는 부분이 있거나 더 큰 변화를 원하는 독자들은 언제든 나를 찾아오고 도움을 청해도 좋다. 이 책을 읽은 모두가 단 한 가지라도 변화의 계기를 얻었으면 하는 마음으로 끝을 마무리 하겠다.